ENCANTORIA

uma etnografia sobre pessoas e encantados

MARTINA AHLERT

ENCANTORIA

uma etnografia sobre pessoas e encantados

São Luís / Curitiba

EDUFMA KOTTER EDITORIAL

2021

Dados Internacionais de Catalogação na Publicação (CIP)
Angelica Ilacqua CRB-8/7057

Ahlert, Martina
Encantoria : uma etnografia sobre pessoas e encantados em Codó (Maranhão) / Martina Ahlert. – Curitiba: Kotter Editorial, 2021.
248 p.

ISBN 978-65-89624-00-4
ISBN 978-65-86619-80-5

1. Antropologia 2. Cultos afro-brasileiros 3. Codó (MA) 4. Batuque (Música) I. Título

21-0488 CDD 299.6

KOTTER EDITORIAL

COORDENAÇÃO EDITORIAL
Sálvio Nienkotter

EDITOR-EXECUTIVO
Raul K. Souza

EDITORES-ASSISTENTES
Daniel Osiecki, Francieli Cunico

REVISÃO
Natalia C. Mendes, Ronald Monteiro

CAPA
Carlos Garcia Fernandes

FOTO CAPA E AUTORA
Adson Carvalho

PROJETO GRÁFICO
Cintia Belloc

PRODUÇÃO
Cristiane L. Nienkotter

KOTTER EDITORIAL

Rua das Cerejeiras, 194
82.7700-510 – Curitiba – Paraná
+55 (41) 3585-5161
www.kotter.com.br – contato@kotter.com.br

Associação Brasileira das Editoras Universitárias

EDUFMA

Av. dos Portugueses, 1966 - Vila Bacanga
65080-805 – São Luís – Maranhão - Brasil
+55 (98) 3272-8157
www.edufma.ufma.br – edufma@ufma.br

SUMÁRIO

Para o povo de Luizinha.

Para Aluízio, Zé Preto, Bita, João Tavares,
Bendita, Cecília, Lúcia, Sebastião e Bigobar,
que se encantaram nos últimos dez anos.

AGRADECIMENTOS

Há pouco mais de 10 anos vi pessoas "*brincando*" e tocando terecô pela primeira vez, em meio aos casarões tombados como patrimônio mundial no Desterro, bairro do Centro Histórico de São Luís, capital do Maranhão. Das ruas estreitas e da praça em frente à Igreja Católica local, os tambores me deslocaram em direção à região dos Cocais, ao encontro de mulheres, homens e encantados em Codó, município do leste do estado. Lá pude conviver com pessoas e entidades, participar de suas danças e rituais, ocupar espaço em suas mesas e em suas casas, conhecer um pouco mais de sua "*Encantoria*".

A pesquisa só aconteceu porque fui recebida por Luiza Lopes Duarte e seu povo (dona Dica, Domingas, Chagas, dos Reis, Aleide, Bendita, Rosa, seu Luís, Benedita, Amanda, a outra Rosa, Mikaeli, Francisca, Tina, Diana, Socorro, Mayane, Gessi, dona Maria do Antônio e seus tamborzeiros); Pedro e sua família (Eliane e as crianças, Wellington e Janoca); Mestre Bita do Barão, seus familiares (Janaína, Maria Eduarda, Ilvanira e Jussara), suas filhas de santo e seus funcionários (em especial Dindinha, Maria Bastos, Sebastiana, Santinha, Maria Pelé, Lúcia, Cecília, Raimundinho, Evandro e Dudu); seu Raimundinho Pombo Roxo, sua família (Zeca, dona Mazé e seus filhos) e seu grande amigo Sebastião; Jesus, Teresinha e Domingos Paiva; Maria dos Santos, Zé Preto, Aluízio Mota, seus filhos de santo e diretoria de suas tendas; seu Bigobar, Vanda, Suzete, Irene, dona Concita e todos os "*brincantes*" de Santo Antônio dos

Pretos; dona Iracema e as pessoas de sua casa (Josi e Esmeralda); seu Zé Willan, Regina, seus filhos e amigos de Morada Nova; Café e Deusimar; seu Jacaré e Maria dos Santos; seu João Tavares, sua família e seus filhos de santo.

Ainda em Codó, dona Maria Alice me recebeu em sua reza. Mãe Nilza me recebeu em seu festejo – e assim agradeço a Marcelo Senzala, pela paciência e pelas informações sobre as religiões afro-brasileiras de Codó. Além disso, contei com a generosidade de seu Ribinha, seu Wildelano e dona Fátima, Rosalva, Augusto Serra e os funcionários da Secretaria de Cultura e Igualdade Racial, seu João Machado, Etiene Lima e Tatiane Duarte. A todos sou grata pelo tempo, atenção e companhia. Todo agradecimento a um brincante do tambor da Mata é também dirigido aos seus encantados, com os quais convivi nas casas, nas tendas e em caminhadas pela cidade.

Encantoria foi escrito a partir da minha tese de doutorado orientada pela professora Antonádia Borges, a quem agradeço com respeito intelectual e afeto toda a generosidade dos últimos anos. Agradeço aos professores que, em etapas distintas, discutiram comigo a constituição deste trabalho ainda no doutorado – Christiane Alencar Chaves, Sulivan Barros, José Jorge de Carvalho, Olívia Maria Gomes da Cunha e Mundicarmo Ferretti. À Mundicarmo (e Sérgio Ferretti), agradeço a acolhida em sua casa durante o campo no Maranhão, e à Olívia, a continuidade do diálogo durante a realização do meu estágio de pós-doutorado no Museu Nacional, na Universidade Federal do Rio de Janeiro.

No doutorado, fui bolsista do Conselho Nacional de Desenvolvimento Científico e Tecnológico (CNPq), financiamento essencial para que eu pudesse me dedicar à pesquisa. Posteriormente, já professora da Universidade Federal do Maranhão, o apoio da Fundação de Amparo à Pesquisa e ao Desenvolvimento Científico e Tecnológico do Maranhão (FAPEMA) – por intermédio de editais de financiamento à pesquisa, à bolsa de pós-doutorado e também à publicação deste livro, contemplado no Edital de Apoio à Publicação

(Edital 016/2018 – Sérgio Ferretti) – se mostrou fundamental para a continuidade do trabalho de campo em Codó.

Alguns diálogos acadêmicos têm contribuído para esta pesquisa e para minha formação como professora e pesquisadora, e agradeço a companhia de João Rickli, Soraya Fleischer, Laura Perez Gil, Claudia Fonseca, Pedro Nascimento, Amanda Farias, Karina Biondi, Everton Pereira, Camila Antonino Pinto, Fabíola Gomes, Paulo Guérios e todxs xs estudantes que participam do Laboratório de Estudos em Antropologia Política (LEAP/ UFMA-UEMA), em especial a Conceição Lima e Marcos Lamy, que estiveram em Codó comigo nos últimos anos.

Entre os deslocamentos e a transformação do Maranhão em cotidiano, agradeço a Larissa Menendez e Joria Martinho, pela amizade e companhia nos bumba-bois e nas manhãs no Mangue Seco. A Alexandre, porque há alguns anos escolheu passar uma madrugada escutando histórias sobre os encantados de Codó e desde então tem ouvido os tantos outros assuntos que resolvo debater antes mesmo do café da manhã. À minha família – Rosemar, Beth, Betina e Celina –, pela constância e apoio durante toda a minha formação, por me fazerem migrante, por aprenderem como funcionava a Universidade comigo e por diminuírem o meu "*andar só*".

Todos os meus anos de estudo foram cursados em instituições públicas de ensino e sou grata àqueles (e não são poucos) que diante de tantas forças contrárias fazem seu trabalho nas universidades públicas com responsabilidade, dedicação e compromisso.

PREFÁCIO

Antonádia Borges

O que uma gestação de risco enseja? Cuidado. Chica Baiana cuidou com tanto afinco daquela gravidez que, em cima do pai da gestante, fez o parto do menino que no futuro se tornaria pai de santo, como o avô que ajudou o encantado a lhe dar à luz. O que o nascimento de uma bisneta de saúde frágil exige de uma mãe de santo já idosa? Energia em dobro. A despeito do cansaço de seu corpo em idade avançada, Luiza recebeu o sábio Ernesto, encantado igualmente velhinho, que há muito não a visitava. Aquele encontro, que não se previa voltar a acontecer, salvaria a menina. E aconteceu. E a criança viveu.

Pais e mães de santo que conheceremos neste livro compõem famílias às quais se dedicam e que, no entanto, não ditam seu caminho na encantaria. Da mesma forma, o parentesco que há entre muitos encantados não os leva a prescindir dos brincantes que os carregam, que os colocam em movimento.

Os encantados agem e vivem à sua maneira, é certo, mas, para tal, a vida de seus médiuns é-lhes igualmente vital. E, sua morte, fonte de tristeza e luto, como quando do velório de Eurides, ao qual acudiram diversos encantados, que vieram se despedir da médium.

A antropóloga Martina Ahlert, professora da Universidade Federal do Maranhão, escreveu uma obra atenta à natureza ritual da encantaria e aos seus efeitos na vida cotidiana das pessoas e dos encantados da cidade de Codó. Neste livro, narra eventos que ocorreram em virtude do trabalho de pesquisa conduzidos pela cidade e em matas nos seus arredores. Alguns desses eventos foram presenciados pela autora ou por outros estudiosos do tema, como Mundicarmo Ferretti, mas nada do que lemos aqui existiria sem o empenho de terecozeiros, pais e mães de santo, seus encantados e seus familiares.

Como toda obra incontornável para o estudo das religiões afro-brasileiras, este livro é também literatura de testemunho e, por essa razão, de interesse para o grande público. Martina conviveu e conversou com pessoas e encantados. Suas palavras, seu conhecimento e sua sabedoria aparecem ao longo do texto lado a lado, a exemplo dos retratos dispostos nas casas de Codó, com fotografias de entes queridos, pessoas e encantados. Sua presença irrefutável nos brinda com testemunhos transformadores.

Literatura de testemunho é um gênero narrativo em que a partir de uma pessoa se fazem sensíveis a história de um lugar, de um tempo e, menos evidente talvez, mas não menos importante, a história do modo como conhecemos o mundo por grandes narrativas e, como consequência, do quão pouco nos é dado a conhecer por tais vias.

Conquista, Escravidão, Guerras, Holocausto, Ditadura narrados por quem a eles sobreviveu, a partir de lembranças do cotidiano, constituem documentos de natureza pouco generalizável, por isso mesmo, como aponta Svetlana Aleksiévitch, dentre outras, desprezados por quem tem predileção por modelos de fácil reprodução.

O maior e mais fundamental trabalho do povo da mata (e aqui incluo encantados e brincantes) é justamente não ceder a narrativas mestras, nas quais nunca houve lugar para sua existência (e aqui me refiro a ambos, novamente). Por isso, talvez, Martina defina a mata como "um lugar de pensamento". Ao ler o que narra com maestria a autora deste livro, damo-nos conta do minucioso e intenso trabalho que permite esta emergência, esta resistência contra o racismo, o fundamentalismo religioso e outras políticas de extermínio que ameaçaram entidades e pessoas ao longo dos tempos, e que continuam à espreita.

A autora demonstra que encantados e terecozeiros driblaram a conquista, a escravidão, a monocultura de exportação e a indústria mineradora, porque não deixaram suas vidas serem a elas reduzidas. Ao construir abrigos para os encantados, mesmo que fosse uma latada na mata, e ao acolhê-los, mesmo que fosse somente com os pés tocando a terra, nos momentos de maior perseguição aos sons dos tambores, os brincantes construíam suas obras de arte e resistência. Da mesma forma, ao dosar e ponderar sobre o que cada corpo que o recebe suporta, encantados dão prova de dedicação e apreço por pessoas cuja existência é também por vezes negada, pela mesma sociedade que os despreza como quimeras. Em suas vozes, nesta literatura de testemunho, aprendemos como terecozeiros e encantados ergueram rotas para este mundo outro, em que podem, enfim, baiar, a despeito da incredulidade e da violência dos que almejavam ou que ainda desejam seu fim.

Encantoria não é uma etnografia apenas, mas uma canção, uma serenata de amor às pessoas e aos encantados de Codó, às suas ruas, casas e tendas.

Codó foi ocupada por quem teve seu desterro em outras bandas, como Luiza ou Pombo Roxo, para quem ter um teto para receber se tornou um bem precioso. Receber quaisquer visitantes, sejam pessoas vindas de longe, encantados vindos de antes ou que venham a surgir, ou os filhos que um dia se lembrarão dos que se foram, é um gesto diplomático, de cuidado. Receber é condição para conhecer.

Ao se empenharem para terem condições de receber, terecozeiros e suas famílias refutam as premissas daqueles que supõem sua limitada capacidade de agência. Ao contrário, encaram o que se entende por mazelas (a violência policial, as lides na roça, a quebra de coco babaçu, os despejos de suas casas e tendas) como elementos que compõem a vida, aos quais é preciso dar atenção, mas nunca a tal ponto de impedir que outras dimensões da existência deixem de ter seu lugar. De fato, tudo o que lhes traga insegurança ontológica, a ponto de colocar em xeque sua possibilidade de cumprir suas obrigações com os encantados, torna-se matéria de primordial interesse, à qual se dedicarão com toda sua força.

Em tempos de tantos desafios à vida na Terra, o livro de Martina Ahlert chega como um sopro de esperança. Há de ser desejo de qualquer brincante que logo possamos ir de festejo em festejo, homenageando aqueles encantados que nos guiam, dando salves às suas longevas existências e à nossa capacidade de reconhecer com respeito o bem que nos trazem e os riscos que corremos quando desacompanhados neste vasto mundo.

NOTAÇÕES

Palavras e frases com aspas duplas indicam citações curtas da literatura. Palavras em *itálico* e entre aspas são termos ou frases do contexto de pesquisa. A maior parte delas aparece em itálico apenas a primeira vez que é utilizada, pois, espero que, durante a leitura, tornem-se familiares ao leitor e leitora;

Devido à presença de diferentes religiões afro-brasileiras em Codó e de suas formas de articulação, opto por fazer referências particulares às pessoas presentes nas situações narradas e à forma como elas definiam categorias e suas fronteiras. Todavia, também utilizo de algumas denominações de maior amplitude, como a de "*terecozeiro*" e "*brincante*" para falar das pessoas que "*recebem*" encantados; "*encantado*", "*guia*" e "*entidade*", como sinônimos;

"*Carregar*", "*receber*", "*estar em cima de*", "*não estar puro*": são formas de se referir a uma pessoa quando incorporada de uma entidade. "*Mediunidade*" e "*médium*" são palavras utilizadas para se referir à incorporação pelas entidades, elas não remetem ao sentido dado no Espiritismo Kardecista. "*Tenda*", "*terreiro*", "*barracão*" *e* "*salão*" são pensados no texto como equivalentes e remetem aos espaços rituais onde se dança terecô. Algumas vezes me refiro às tendas como casas, haja vista a coincidência de espaços e o uso da palavra, em campo, como sinônimo. Rituais feitos nas tendas são chamados de "*toque*", "*gira*" e "*tambor*".

Os nomes utilizados na escrita são das pessoas que conheci e de seus encantados. Optei por essa escolha, pois entendo que gostariam de ver registrado seu conhecimento e sua contribuição à pesquisa. Nomes fictícios são empregados apenas em situações que julguei serem delicadas às pessoas mencionadas. Durante a escrita, utilizo o nome dos encantados e também transcrevo pontos tocados durante os rituais. Busquei garantir a correta transcrição de ambos, mas pode haver imperfeições tanto pela multiplicidade de suas versões quanto por dificuldades em seu registro.

INTRODUÇÃO

A GRAFIA DO SIGNIFICADO

Era Sexta-Feira Santa do ano de 2011 e nós estávamos sentadas no chão da Tenda Santa Helena, que fica contígua à cozinha da casa de Luiza, mãe de santo de uma religião conhecida como terecô. Suas oito filhas de santo (dentre as quais, duas de suas irmãs consanguíneas), Luiza e eu, contávamos piadas enquanto esperávamos chegar nove horas da noite. Em Codó, cidade do interior do Maranhão, era noite de "*descobrir o santo*", momento em que se retiram os panos que cobrem as imagens na quaresma. Assim, abrem-se as "*correntes*"[1] para que os encantados possam voltar a frequentar as "*tendas*", como são chamados os espaços rituais. As piadas remetiam a histórias jocosas e situações cômicas, protagonizadas por personagens ordinários, religiosos ou mesmo por animais domésticos. Uma das irmãs da mãe de santo era particularmente habilidosa no contar e imitar pessoas. Entre uma brincadeira e outra, comentávamos as últimas notícias da cidade. E notícias não faltavam! Não naquele momento em que Luiza e outras filhas de santo voltaram a estudar em um programa do governo federal para educação de jovens e adultos.

---

1. Como sugere Lima (2019, p. 31), a corrente é uma forma de alinhar e conectar seres, "é tanto a linha de força e de trabalho de uma tenda quando a ordenação das entidades de forma hierárquica. Assim como uma tenda pode ter mais de uma delas, o médium também pode ter ligação com duas ou mais". Corrente ainda pode ser utilizada como uma forma de se referir ao quantitativo de filhos de santo de uma tenda.

Em virtude da semana santa, a professora da alfabetização pediu aos alunos que se lembrassem de como era a Páscoa e a quaresma quando eram mais novos. Sugeriu que pensassem nas transformações trazidas pela passagem do tempo a esses dois momentos importantes. Luiza dispunha de muitas histórias para contar, afinal, tinha mais de setenta anos, veio do interior para cidade e muitas coisas se alteraram em meio a tantas mudanças. No dia seguinte ao da aula, ela foi escrever seu texto sobre o tema. Dirigiu-se à moradia da filha na rua ao lado, perguntar à neta como se escrevia quaresma. Aprendeu e voltou para casa, sentou-se e foi escrever o título escolhido: "*O significado da quaresma*". Parou depois do "*O*" – sabia o que queria escrever, apenas não lhe ocorria a grafia de s-i-g-n-i-f-i-c-a-d-o.

* * *

Enquanto as dificuldades de Luiza remetiam à escrita da palavra significado, muitas das questões que passavam por minha cabeça naquele momento eram sobre a possibilidade de conhecer ou mobilizar significados para o que eu via e vivia em sua companhia. Luiza é mãe de santo de uma religião afro-brasileira chamada terecô e, convivendo com ela e com outros "*brincantes*" ou "*terecozeiros*", eu buscava compreender, ainda que parcialmente, as relações entre as pessoas e os "*encantados*" – como são denominadas genericamente as entidades dessa religião encontrada em Codó, no Maranhão. Este livro é resultado dessa convivência e uma versão modificada da minha tese de doutorado defendida em 2013, no Programa de Pós-Graduação em Antropologia Social da Universidade de Brasília, sob orientação da professora Antonádia Borges. A maior parte do seu conteúdo provém do período de um ano em que morei na cidade entre 2010 e 2011, mas incluo aqui algumas experiências posteriores, pois, em situações esporádicas, tenho realizado pesquisas de campo na cidade por mais de dez anos.

Com exceção do período de quaresma, quando silenciam os tambores e os foguetes, o restante do ano em Codó é marcado pelos toques intensos do terecô ou tambor da Mata, pelos pontos cantados que os acompanham, pelos foguetes que os anunciam e pelas rezas, benditos, ladainhas e terços que, cadenciados, são oferecidos aos santos. A cidade ganhou notoriedade ao ser considerada a "capital mundial da feitiçaria" ou "capital da magia negra no Brasil". Esta fama surgiu de diversos elementos. Conta-se sobre a existência de antigos feiticeiros com poderes de fazer chover, curar doentes, transformar pessoas em objetos inanimados, prever a morte dos seus desafetos e mesmo causá-las (MACHADO, 1999; FERRETTI, 2001a, BARROS, 2000). Afirma-se que quando esses homens encontravam seus rivais, com eles disputavam "*força*", provocando raios, ventos e tempestades. De igual maneira, entende-se que os primeiros pais e mães de santo contribuíram para que a cidade se tornasse conhecida como um lugar de força, ou seja, de energias surgidas da relação com as entidades. Seus poderes e sua notoriedade, assim, teriam se disseminado a partir do atendimento a "*clientes*" de outras partes do país, especialmente a políticos com visibilidade no cenário nacional.

A fama da cidade como "capital da magia negra" foi impulsionada também pela exploração midiática intensa – em grande parte estigmatizadora e preconceituosa – da profusão de tendas de religiões afro-brasileiras e dos atendimentos realizados por pais e mães de santo. Nesse sentido, Codó aparece como a atração aos políticos que a visitam para realizar "*trabalhos*" e vencer eleições, como terra do pai de santo de José Sarney[2] (REVISTA ÉPOCA,

2. José Sarney é patriarca de uma família tradicional na política maranhense. Ingressou na carreira política em 1954, tendo sido eleito deputado federal em 1958 pela União Democrática Nacional. Em 1965 se tornou governador do Maranhão; em1970 senador pela Aliança Renovadora Nacional. Nas primeiras eleições pós-ditadura militar, eleito vice-presidente da República, assumiu a presidência em virtude da morte de Tancredo Neves. Em 1990 transferiu seu domicílio eleitoral para o Amapá, estado que o elegeu senador por três mandatos diferentes.

2002), como relacionada ao satanismo (PROGRAMA TELEVISIVO SUPER POP, 2011), como "esquina do além" (REVISTA NATIONAL GEOGRAPHIC, 2010) – adjetivações que eram tomadas por um ou outro pai de santo de maior renome para incrementar a propaganda sobre seus trabalhos, mas que não eram necessariamente bem vistas por aqueles que participavam das atividades das tendas.

A Secretaria de Cultura e Igualdade Racial da Prefeitura Municipal de Codó estimava, quando cheguei à cidade pela primeira vez, em 2010 (ano em que a Secretaria foi criada), que se podia encontrar, na zona rural e urbana, um número aproximado de 200 tendas que se definiam como de terecô, candomblé ou umbanda. A Associação de Umbanda, Candomblé e Religiões Afro-brasileiras de Codó e Região realizou um levantamento sobre a quantidade desses locais e afirmou a existência de 294 tendas e 109 quartos de santo na cidade. Independente da discrepância entre os números encontrados, é possível notar a grande presença desses espaços entre os cerca de 120 mil habitantes do município[3].

***

Na literatura antropológica, Codó é conhecida como berço do terecô (chamado ainda de tambor da Mata, Encantaria de Barba Soeira, Brinquedo de Santa Bárbara, Verequete), religião afro-brasileira de provável matriz banto, com elementos jeje e nagô, presente no local desde o regime escravocrata praticado no Brasil, formalmente, entre os séculos XVI e XVII (COSTA EDUARDO, 1948; FERRETTI, 1998, 2000a, 2001a, 2003; BARROS, 2000; ARAÚJO, 2008). No terecô são *"recebidos"* especialmente (porém não exclusivamente) encantados da Mata – ou seja, entidades residentes, em tempos idos, nas matas da região. É comum ouvir que eles vieram da África

3. Dados do censo do Instituto Brasileiro de Geografia e Estatística (IBGE), realizado em 2010.

enquanto humanos e, após chegarem ao Brasil, adentraram o território, onde se encantaram[4].

Encantados da Mata foram homens e mulheres que, em determinado momento de suas vidas, desapareceram, passando a viver na Encantaria. Eles não são vistos como mortos (ou eguns, como denominados em outras religiões afro-brasileiras) e não vão voltar a viver entre os vivos por meio da reencarnação. A Encantaria é vista como um espaço limiar entre céu e terra, que se liga ao nosso plano de experiência por passagens estreitas como fendas de pedra, cachoeiras, nascentes etc. (BARROS, 2000). Esse outro mundo, contudo, não é uma cópia reproduzida do nosso. Antes, é um mundo sem pecador (já que os pecadores vivem na terra) e sem santos (que vivem no céu) (FERRETTI, 2000a). Quem chefia a Encantaria Maranhense é Santa Bárbara, que é também considerada a dona de diversas tendas de Codó. Por isso, em algumas casas, pede-se que ela abra os trabalhos nos rituais de tambor, unindo as diferentes correntes da religião.

Os encantados de Codó são chefiados por uma entidade chamada Légua Boji Buá da Trindade, tido por alguns como de origem nobre, mas também como um importante vaqueiro, aguerrido e apegado à confusão, valente, duro e consumidor de bebida alcoólica. Légua Boji Buá comanda uma importante e numerosa família de encantados que compõe parte da "linha da mata" – uma das linhas que constitui a Encantaria Maranhense. Além dela, os encantados

4. "No Maranhão o termo encantado é encontrado nos terreiros de Mina, tanto nos fundados por africanos, quanto nos mais novos e sincréticos, e nos salões de curadores e pajés. Refere-se a uma categoria de seres espirituais recebidos em transe mediúnico, que não podem ser observados diretamente ou que se acredita poderem ser vistos, ouvidos e sentidos em sonho, ou por pessoas dotadas de vidência, mediunidade ou de percepção extrassensorial, como alguns preferem denominar. Os encantados, apesar de totalmente invisíveis para a maioria das pessoas, tornam-se "visíveis" quando os médiuns em quem incorporam manifestam alterações de consciência e assumem outra identidade. Apresentam-se à comunidade religiosa como alguém que teve vida terrena há muitos anos e que desapareceu misteriosamente ou tornou-se invisível, encantou-se" (FERRETTI, 2000b, p. 15).

recebidos no Maranhão são da "linha de água doce" (encantados da pajelança, encontrada especialmente na Baixada Maranhense) e da "linha da água salgada" (encantados que vieram pelo mar, como orixás, voduns, caboclos de origem europeia e africana, presentes no tambor de mina[5] de São Luís) (PACHECO, 2004; BARROS, 2000).

> À linha da mata pertencem entidades caboclas menos civilizadas e menos nobres, que vivem, geralmente, em lugares afastados das grandes cidades e pouco conhecidos e que costumam vir beirando o mar ou igarapés (como o ‹povo› de Codó, chefiado por Légua Boji, e o ‹povo fulupa› chefiado por rei Surrupira) (FERRETTI, 2000a, p. 81).

Além da distinção entre as linhas – que estão ligadas a regiões geográficas do Maranhão –, de acordo com a bibliografia sobre as religiões afro-brasileiras no estado, existem outras formas de classificar os encantados recebidos nas tendas. Mundicarmo Ferretti (2000a), em uma obra que analisa a presença do caboclo no tambor de mina, mostra que as entidades recebidas em São Luís, capital do Maranhão, podem ser dispostas de acordo com sua categoria[6], com sua família extensa, com sua nação e com a região de sua procedência. Muitas dessas classificações são também referidas em

5. Tambor de Mina é a designação da religião afro-brasileira (de origem mina-jeje, jeje-nagô) praticada em São Luís do Maranhão, presente em outras regiões do Brasil (BARRETO, 1977; FERRETTI, 1996; FERRETTI, 2000a).

6. Em relação à categoria, segundo Mundicarmo Ferretti, as entidades podem ser classificadas como: i) voduns e orixás – entidades africanas que podem ser conhecidas por nome brasileiros, festejadas em dia de santos católicos; ii) gentis – nobres encantados, "normalmente europeus", alguns são associados à orixás e a santos, como Dom João com Xangô; iii) gentilheiros "não pertencem à nobreza europeia cristã" (2000a, p.74). Podem também ser confundidos com caboclos, como Rei da Turquia; iv) caboclos: nível hierárquico menor que os anteriores, não são confundidos com santos, não são índios ou eguns; v) índios e selvagens com acesso ao terreiro quando "vem como caboclo" – são "entidades pouco civilizadas, que não falam bem o português, nem pautam sua conduta pelas normas de 'bom comportamento'" (2000a, p.74); vi). Meninas: não participam da maior parte dos rituais, só vem em festas específicas (2000a, p. 75).

Codó, onde os encantados podem ser relacionados à linha da mata, mas também ser entendidos como caboclos[7] (enquanto categoria), como uma família extensa (a família de Légua, por exemplo), como o povo de Codó (quando relacionados à região de origem, diferente, portanto, do povo da Bahia, do Pará, do Ceará etc.).

A despeito dessas categorias de classificação, nas experiências vividas por Luizinha e por outros terecozeiros, havia circulação de entidades entre diferentes locais e mesmo definições diversas em torno de um mesmo encantado. Existia ainda a possibilidade de adoção de entidades em famílias diferentes e combinações relativas à trajetória de determinadas pessoas. Todos esses elementos indicam uma complexidade mais ampla do que aquela que as formas de classificação conseguem captar. Optei, nesse sentido, por recorrer, durante a escrita, à compreensão dos meus interlocutores de acordo com situações específicas, tecendo considerações mais generalistas apenas quando me pareceu apropriado.

Cabem, entretanto, algumas explicações iniciais que servem como pontos de partida para a construção de um cenário que aproxime o leitor e a leitora do campo de pesquisa. Em primeiro lugar, existia um consenso de que a religião originária da cidade era o *"terecô de Codó"* e que da forma com que ela lá se apresentava, não existia em nenhum outro lugar. Além de a palavra terecô ser usada para se referir de maneira geral à religião que se originou no local (sendo sinônimo de tambor da mata, verequete, Encantaria de Barba Soeira, brincadeira de Santa Bárbara), ela era utilizada de forma múltipla: ser *"terecozeiro"* era *"fazer terecô"*, *"baiar terecô"* ou ainda *"brincar terecô"*. Da ideia de brincadeira de Santa Bárbara surgem os *"brincantes"* do tambor. O terecô não era apenas a religião em si, era também o ritmo do tambor (*"tocar terecô"*) ou um ritual específico (ou *"brincadeira"* específica). Por exemplo, quando se falava: *"Fomos ao terecô da Teresinha no final*

7. Na minha pesquisa, caboclo não é sinônimo de índio (chamado apenas de índio ou "caboclo de pena").

de semana" (que também se diria *"o tambor de Teresinha"*). Da mesma forma, quando se referia a uma noite em que as pessoas brincaram de forma animada se dizia que *"o terecô estava bom"* ou o *"terecô estava arrochado"*, em uma referência ao gênero musical arrocha.

A fluidez e a instabilidade das definições (OPIPARI, 2009) apareciam, portanto, na conceituação dos brincantes sobre suas próprias experiências. Apesar do uso amplo do termo terecô na cidade, a grande maioria das tendas possui a denominação *"tenda espírita de umbanda"*, logo, muitos de seus pais de santo se dizem terecozeiros e umbandistas. Estima-se que a umbanda foi introduzida em Codó na década de 1930, com a chegada de Maria Piauí – ou Maria Carinhosa (FERRETTI, 2001a; BARROS, 2000) – mãe de santo que fundou a Tenda Espírita de Umbanda Santo Antônio, localizada à beira da linha de trem que a trouxe de Teresina para Codó. Com a sua chegada, muitos terecozeiros passaram a utilizar a palavra umbanda para descrever também as suas tendas, ainda que tocassem o tambor da mata. Autores como Mundicarmo Ferretti (2001b, 2003) e Araújo (2008) acreditam que a incorporação da umbanda pelos terecozeiros foi uma estratégia diante da perseguição policial, efetivada de forma mais intensa sobre o terecô.

Para muitas pessoas que conheci, umbanda e terecô eram usadas como sinônimos, já que todas as tendas de umbanda da cidade tocavam pontos de terecô e recebiam entidades da mata. Nesse nível, umbanda e terecô eram sinônimos; em um segundo momento se instaurava uma diferença entre tendas que utilizavam os dois termos. Essa diferença tinha a ver com as entidades com que cada uma das casas trabalhava. Por exemplo, apesar de duas tendas serem tanto de umbanda quanto de terecô, elas se diferenciavam porque uma trabalhava com preto-velho, pombagira, exu[8] ou algum

8. Pombagira e exu não eram entidades invocadas na maior parte dos festejos, com exceção de programações específicas que objetivavam homenageá-las, realizadas em algumas tendas da cidade.

orixá, por exemplo; enquanto a outra não recebia essas entidades. Muitos dos interlocutores ainda aproximavam as duas religiões na medida em que as distanciam do candomblé, que era visto como o que trabalha apenas com os orixás e que possui rituais diferenciados.

Parte dos terecozeiros também se dizia "*mineiro*", seja porque foi "*preparado*" em terreiros de tambor de mina (especialmente em São Luís, como menciono no segundo capítulo) ou porque tocava pontos de mina em sua casa – algo que acontecia em praticamente todas as tendas da cidade. Iracema – mãe de santo da Tenda Espírita de Umbanda Santo Antônio – certa vez fez ainda outra relação entre a mina e a umbanda. Para ela, a "*umbanda é a mesma coisa que mina*", sendo apenas nomes diferentes para designar uma mesma coisa (o que não sugeria que fossem coisas idênticas). Ao me apresentar essa interpretação, contou que nos rituais feitos na sua tenda, o tamborzeiro tocava pontos de mina e umbanda, mas em seguida tocava "*para mata*" (terecô), porque era o "*ritmo de tambor preferido*" das pessoas.

Segundo relatam os moradores de Codó e também a bibliografia sobre a cidade, o candomblé teve uma chegada mais recente no local. Na década de 1980 foi fundado, por Eduardo, seu primeiro salão. Eduardo era codoense, brincante do tambor da Mata e durante anos viveu no estado de São Paulo e na Bahia, onde foi iniciado no candomblé. Junto ao Júlio, outro candomblecista que conhecera em suas viagens, instalou, no bairro São Pedro, uma tenda. Juntos, eles iniciaram (ou seja, introduziram na religião) alguns filhos de santo; isso se deu até a morte de Eduardo, quando Júlio deixou a cidade. Durante a pesquisa de campo, enquanto a maior parte das tendas se definia como umbanda e tocava terecô, cinco delas se definiam também como de candomblé. Quatro trabalhavam com encantados e tocavam o tambor da mata e mina com certa frequência.

Pais e mães de santo que também foram iniciados no candomblé (como seu João Tavares e Mãe Beata, que tive a oportunidade de conhecer) contavam que a religião, quando chegou à cidade, não era bem vista pelos moradores, os quais a consideravam muito diferente do terecô e da umbanda. Disseram ainda que as pessoas a viam como "*coisa do Diabo*", porque se impressionavam diante dos rituais de iniciação que envolviam raspagem e catulagem. No período em que eu estive em campo, também ouvi tais considerações de alguns pais de santo que não trabalhavam com candomblé – demonstrando que o estranhamento com suas práticas e rituais ainda existiam.

Segundo as pessoas que conversei, o candomblé também era considerado distante da umbanda e do terecô em virtude das entidades com as quais trabalhava. O pai de santo Café, cuja casa se definia como umbanda e quimbanda, contou-me que existia uma maior proximidade entre a umbanda, a mina e o terecô, enquanto o candomblé era muito diferente: "*A umbanda tem mais os caboclos, as mães pretas. Já o candomblé não, ele tem mais os orixás*". Seu Raimundinho, pai de santo do terecô desde seus 21 anos (ele tinha mais de 80 anos quando nos conhecemos), também chamou atenção para a diferença entre as entidades quando explicou que não sentia necessidade de se aproximar dos orixás, porque seus encantados eram fortes e lhe concediam ajuda suficiente para seus trabalhos. Segundo ele, e em consonância com sua própria trajetória na religião, os encantados eram entidades muito mais antigas do que os orixás. Além de uma diferenciação em torno das entidades recebidas em cada uma das religiões, seu Raimundinho nos oferece mais uma dobra na complexa atividade de classificação: tanto ele como outros pais de santo da cidade entendem o candomblé como uma religião recente, muito mais nova do que a umbanda e o terecô, visto ter chegado à cidade nas últimas décadas.

As possibilidades de associação entre os pertencimentos e as denominações dessas religiões não terminam por aí. Um jovem candomblecista que conheci durante o campo, Marcelo, ao compartilhar comigo informações importantes de suas próprias pesquisas, contou-me que percebia uma relação entre as famílias dos encantados recebidos pelos brincantes do terecô e os orixás do candomblé. Uma dessas associações era possível, para ele, entre os encantados da família de Légua e os Exus, que possuiriam muitas características em comum.

Ou seja, além dos encantados da Mata e de outras famílias do tambor de mina recebidas no terecô de Codó – que são lembradas em histórias do passado e em pontos antigos cantados nas tendas –, outras entidades também se fazem presentes nos "*barracões*" das religiões afro-brasileiras. Além daquelas tidas como as tradicionais do terecô e do tambor de mina – ou seja, caboclos, nobres, gentis, princesas, caboclos de pena (índios), voduns –, existe um panteão que comporta pretos velhos, pombagiras, exus e orixás. Evidentemente, a circulação das entidades não deve ser compreendida como algo completamente espontâneo ou sem sentido. Existem modos de articulação (LEAL, 2019) que remetem a variáveis ora relacionadas às relações entre as entidades, ora à trajetória de pais e mães de santo.

As entidades chamadas para um ritual têm relação com as linhas nas quais o pai de santo possui encantados ou "*preparação*"[9]. Elas podem estar relacionadas ainda com algum brincante de uma tenda que visite o "*salão*" na ocasião. Em Codó, cada pessoa recebe um número amplo (e normalmente desconhecido) de entidades, é possível que uma mesma pessoa tenha, por exemplo, encantados da mata, algum orixá, encantados da Mina e uma pombagira. Cada entidade é vista como especialista em uma função específica: existem aquelas que são "*baiadoras*" (ou bailadoras), as "*farristas*", as "*curadoras*" e as que são peritas em "*desfazer feitiço*". Essas funções ainda podem ser mencionadas como características da corrente ou linha a que cada encantado pertence.

Uma das formas de perceber quais são as entidades recebidas está nos "*toques*", no prestar atenção à letra dos pontos, às músicas cantadas nas tendas, aos chamados de doutrinas ou cantigas. Eles têm a dupla função de homenagear as entidades e de invocar sua presença (ORTIZ, 1988). Poder-se-ia dizer serem dialógicos em

9. Palavra utilizada para se referir àquilo que em outros contextos é chamado de iniciação. Retomo esta discussão no segundo capítulo.

dois sentidos, por clamarem pelos encantados, mas também por colocarem em diálogo puxador/tambor e brincantes – já que os pontos cantados por um puxador são repetidos ou respondidos pelos terecozeiros. Sua letra, comumente, é dada por algum encantado durante uma "*gira*", sendo, portanto, de obra poética deles. Nela, eles fazem alusões a si mesmos, mencionando, por vezes, seus nomes, de suas famílias ou o seu lugar de Encantaria.

Há também uma diversidade nos rituais que remete aos toques de tambor. Entre os pontos de umbanda, os de candomblé e os de tambor de Mina (cuja batida se divide em mina dobrada e mina corrida), os do terecô se destacam, segundo as pessoas com quem convivi, pela batida rápida e ritmo intenso. Dizem ser esse o motivo que leva as pessoas da cidade a preferir o "*ritmo da mata*". Suas letras são em português, cantadas e acompanhadas por um tambor com membrana de couro e um número indeterminado de cabaças. "*Tamborzeiros*" ou "*abatazeiros*" (cada casa costuma ter pelo menos um tocador de tambor) e "*cabaceiros*" tocam intermitentemente nas noites de terecô. Em todos os barracões da cidade é possível ouvir o ritmo da mata e o ritmo da mina, porque possuem filhos de santo com encantados desses pertencimentos ou recebem visitantes que são também homenageados, juntamente a suas entidades, nas festas.

De modo geral, pai e mãe de santo são os termos mais usados para nomear os chefes de casas das religiões afro-brasileiras de Codó. Luiza lembra que no interior, onde começou a frequentar um terecô, esses termos não existiam. Naquele contexto, eles eram definidos como "*mestres*", e aqueles que frequentavam sua casa eram conhecidos como "*discípulos*". Ela percebeu a diferença no uso dos termos quando passou a frequentar tendas na cidade, depois que se mudou com os filhos para Codó. Além das mães e dos pais de santo, existem salões que, por certo período, são dirigidos por um zelador. Nas situações que vi ou ouvi durante a pesquisa de campo, os zeladores cuidavam de casas quando do falecimento de um pai ou mãe de santo, não existindo nenhuma pessoa preparada para assumir sua chefia.

Alguns mestres, especialmente do passado, eram referidos como feiticeiros. O uso do termo era tanto negativo quanto positivo. Chamar alguém de feiticeiro, em sua determinação negativa, poderia ser acusá-lo de causar o mal ou mesmo a morte de alguém. Costumava ser usado dessa forma tanto por pessoas que não tinham contato com as tendas (e que usavam genericamente o termo feitiçaria ou magia negra como sinônimo de causar o mal) quanto por brincantes. "*Ele é um feiticeiro*" também reservava um sentido positivo, quando usado para refletir o intenso poder de um mestre, remetendo àqueles grandes feiticeiros poderosos do passado da cidade. Esse uso era mais restrito e o ouvi poucas vezes durante o campo, remetido a um pai de santo, "*filho de um grande feiticeiro*", morador de um povoado do interior do município.

Ainda outros termos eram utilizados para nomear pais e mães de santo, embora em um número menor de ocasiões. Quando fui para Codó pela primeira vez, peguei um táxi no povoado de Quilômetro Dezessete e, no caminho para o centro, fui conversando com o taxista sobre a cidade. Perguntei o preço da corrida e o motorista me explicou que era caro devido a Bita do Barão, fazendo referência à quantidade de pessoas que eles levavam para o atendimento do pai de santo mais conhecido do local. Para falar sobre Mestre Bita, o taxista empregou o termo "*macumbeiro*" e acrescentou ainda que homens como ele eram conhecidos como "*doutores do mato*" ou "*cientistas*". Tenho a impressão de que os termos não eram necessariamente sinônimos, já que doutores do mato e cientistas não necessariamente trabalhavam incorporados ou possuíam filhos de santo – duas condições indispensáveis a um pai de santo. Contudo, a associação era possível na medida em que, como soube posteriormente, na cidade, era comum que mestres trabalhassem com cura, mediante banhos e garrafadas feitas com ervas e raízes.

As categorias usadas para designar os chefes de uma tenda demonstravam os vários termos pelos quais se definiam suas atividades – ora como religião, ora como "*macumba*", "*feitiçaria*" ou, ainda, "*seita*". Entre pessoas que não eram ligadas ao tambor, termos como macumba, feitiçaria e seita eram usados em sentido negativo e estigmatizador, como categorias acusatórias. Para aqueles que participavam das religiões afro-brasileiras, além desse tom negativo (empregado quando se estabelecia alguma rixa ou disputa com outro pai ou mãe de santo), elas eram palavras utilizadas para falar sobre seu próprio engajamento. Frases como "*Filha, sua mãe está indo pra seita*" ou "*ele está ali nos fundos, fazendo as macumbas dele*" eram utilizadas corriqueiramente e sem tom derrogatório.

Essa miríade de categorias e as possíveis relações entre elas podem parecer estranhas aos nossos desejos classificatórios. As associações entre umbanda e tambor de mina, tambor de mina e terecô, terecô e umbanda, candomblé e terecô, assim como as percepções sobre antiguidade e novidade de cada uma dessas religiões, não são absolutas e variam de acordo com a concepção de cada pai ou mãe de santo[10]. A digressão etimológica e as tentativas classificatórias estão à mercê da experiência de cada um dos sujeitos, da forma com que ela se cruza com a de outros mestres e também com a dos encantados.

* * *

A primeira vez que vi e ouvi terecô foi em setembro de 2010, no Centro Histórico de São Luís, na Procissão dos Orixás – evento

10. Existem esforços muito interessantes na antropologia para pensar a relação entre as diferentes religiões de matriz africana ou afro-brasileiras. Com a intenção de pensar uma matriz transformacional entre elas, Gabriel Banaggia (2014) sugere pensar em um quadro comparativo entre as religiões, na medida em que "cada religião de matriz africana coloca em relevo determinadas características presentes nas outras de formas mais sutis, enquanto potências nem sempre atualizadas" (2014, p. 65). Tal perspectiva influencia o trabalho de Bárbara Cruz (2018) sobre o terecô e o tambor de mina em tendas de Codó. É possível mencionar, ainda, a discussão de José Carlos Gomes dos Anjos em No território da linha cruzada (2006) e sua proposta de contramestiçagem e contrassincretismo (retomada, posteriormente por Mello (2017) e Goldman (2015). Nela, o autor sugere pensar as relações entre diferentes religiões como formas de encontro sem mistura, ou seja, sem uma fusão, síntese ou produção de uma unidade estável, antes, como um "processo permanente de desterritorialização" (2006, p. 33).

que faz parte das comemorações de aniversário da cidade. Ele foi tocado pelos integrantes do Camafeu de Oxóssi, espaço religioso localizado na região metropolitana da capital e então dirigido pela mãe de santo Maria do Caboclo Sete Flechas. Apesar de ter sua casa, ela era também filha de santo e mãe pequena da Tenda Espírita de Umbanda Rainha Iemanjá, de Mestre Bita do Barão, localizada em Codó. Eu ainda não sabia, mas o contato entre as tendas desses dois lugares era novidade e, sim, um movimento contínuo documentando há algum tempo. A Missão Folclórica comandada por Mário de Andrade, quando esteve em São Luís em 1938 (ALVARENGA, 1948a, 1948b, 1950), registrou no terreiro de Maximiana pontos tocados para Légua Boji Buá, João Barabaia, Barão de Guaré e Rei de Mina, encantados homenageados no tambor da mata de Codó (FERRETTI, 2001a; BARROS, 2007). Além disso, como demonstra Mundicarmo Ferretti, havia contato de pessoas de tendas de Codó com Maximiana, pois foi na cidade do interior que um dos seus filhos de santo recebeu pela primeira vez Légua Boji Buá (FERRETTI, 2001a). No final da década de 1930, "o terecô, como se pode ver em Alvarenga (1948a; 1950) e Cascudo (1962, p. 291), já era difundido em São Luís, Belém do Pará (babassuê) e Teresina no Piauí (encantaria)" (BARROS, 2007, p. 190), indicando um fluxo de relações entre encantados e pessoas.

Apesar desses pontos de contato, nesse período, interesses intelectuais e políticos relacionados à construção de uma identidade maranhense enfatizaram a distância entre as manifestações religiosas da capital (especialmente o tambor de mina) e as do interior (a pajelança e o terecô), diferenciando e hierarquizando suas práticas. Tal diferenciação não esteve presente apenas nos estudos de religião. No início do século XX, com o declínio da elite rural no Maranhão, o estado foi visto como ingressando em um momento de decadência econômica e "cultural". Nesse cenário, um grupo de intelectuais e políticos colocou em primeiro plano as discussões sobre o progresso e sobre o renascimento do estado. Duas imagens passaram a ser associadas à cidade de São Luís: a de

"Atenas brasileira" – numa referência à geração de Gonçalves Dias no século XIX –; e a de "capital francesa" – remetendo à fundação da cidade a Daniel de La Touche (BARROS, 2007).

No processo de "renascimento" do Maranhão, São Luís passou a ter símbolos relacionados a uma intelectualidade branca e erudita e aos valores europeus – indiferentes à presença negra na cidade. Como resposta a esse movimento da intelectualidade local, vozes dissidentes buscaram retomar elementos da cultura negra e popular, vistos como fundamentais à identidade maranhense. Dessa forma, algumas manifestações populares e negras se tornaram valorizadas como parte positiva da imagem do estado. Essa valorização, entretanto, foi seletiva, já que outras manifestações negras continuaram sendo desqualificadas, esquecidas e perseguidas pela polícia. Criou-se uma distinção entre as manifestações negras (religiosas, populares) do centro da capital e aquelas do interior, que continuaram sem valor. Essa distinção, segundo Antônio Evaldo Barros (2007), valorizou o tambor de Mina enquanto religião tradicional e constituiu alguns terreiros locais, especialmente as centenárias Casa das Minas (mina/jeje) e Casa de Nagô (jeje/nagô), como verdadeiramente africanos em relação às principais religiões afro-brasileiras do interior do estado[11].

---

11. Em certo sentido, essa situação particular me parece relacionada à tendência de valorização da tradição religiosa jeje-nagô, realizada por diversos intelectuais brasileiros a partir do trabalho de Nina Rodrigues (RODRIGUES, 1988; 2006; RAMOS, 1979; CARNEIRO, 1991; FREYRE, 2002). Para esses autores, a superioridade dos negros de origem sudanesa (na qual estariam os mina, jeje e nagô) em contraposição aos negros banto (angola, congo, moçambique etc.) era evidente na história brasileira e se expressava no âmbito das religiões. As religiões identificadas como jeje e nagô – como o candomblé baiano, o xangô pernambucano, o batuque rio-grandense e o tambor de mina maranhense – foram consideradas mais elevadas, complexas e com maior grau de pureza do que as religiões de origem banto, por melhor conservarem sua herança africana a despeito da possibilidade de constante sincretismo com outras experiências (RODRIGUES, 1988; 2006; CARNEIRO, 1991). Desde a década de 1970, autoras como Dantas (1988) e Maggie (2001), por exemplo, têm feito crítica a essa distinção (às ênfases no purismo hierarquizante) e, com outros autores, têm expandido os campos de pesquisa e as preocupações da antropologia em relação às religiões afro-brasileiras.

É nesse período que surgem os primeiros registros sobre o tambor de mina e o terecô, religiões anteriormente mencionadas na Missão Folclórica. Em 1947, Nunes Pereira publicou "A Casa das Minas: contribuição ao estudo das sobrevivências daomeanas no Brasil", a partir de uma pesquisa sobre a tenda de mesmo nome, construída em meados do século XIX na região central de São Luís. No texto, o autor – que frequentava a Casa – analisa diversos aspectos do local, desde o espaço físico, o culto aos voduns (como eram chamadas as entidades lá recebidas) e a culinária. Nessa análise, destaca a permanência de traços africanos, afirmando ser uma "verdadeira sociedade africana" de negros caracterizados como Mina-gege, com traços gege e nagô. Menciona que a "alta sociedade" frequentava a Casa, que, apesar da perseguição policial sofrida, recebeu apoio de meios de comunicação e dos intelectuais.

Nunes Pereira caracteriza a pureza da Casa das Minas, distinguindo-a de outras religiões e práticas. Nesse esforço, mostra como a religião e a feitiçaria eram distantes, de forma que, "Na '*Casa das Minas*' não se cuida de *feitiçaria*, isto é, da prática de malefícios ou do preparo de *filtros*, amuletos etc." (PEREIRA, 1947, p. 49). Indicando ainda a "sobrevivência" dos traços africanos, não vê semelhança entre os voduns e os santos católicos ou outras entidades caboclas e espíritas: "Para a gente da Casa das Minas as suas divindades pertencem exclusivamente e essencialmente à teogonia africana, podendo vir da concepção religiosa deste ou daquele povo do Continente, mas nunca do seio da religião católica, do mundo dos pagés amazônicos ou dos 'círculos' e 'tendas' dos médiuns espíritas" (PEREIRA, 1947, p. 47) – elementos que seriam característicos das religiões encontradas no interior do estado (FERRETTI, 2001a; PACHECO, 2004; MOTA, 2009).

No mesmo período, também nos últimos anos da década de 1940, Octavio da Costa Eduardo, então orientando de Herskovitz, escreveu *The negro in Northern Brazil* (1948), a partir de uma pesquisa de campo que teve duração de nove meses, entre novembro de

1943 e junho de 1944. Nesse período, o autor esteve em São Luís e em Codó, onde permaneceu durante 15 dias na sede do município e dois meses no povoado de Santo Antônio dos Pretos. Nos dois locais realizou a pesquisa de campo, a qual permitiu a comparação entre os negros da capital e os do interior, a partir dos eixos família, trabalho e religião. Seu interesse era demonstrar o processo de aculturação[12], ou seja, desejava perceber como esses três eixos apareciam como "mais ou menos conservados" (mais ou menos "puros" ou "africanos") em cada uma das localidades.

Costa Eduardo concluiu que o modelo familiar, assim como as técnicas de cultivo e organização do trabalho dos negros eram "mais" africanas em Santo Antônio dos Pretos do que na cidade de São Luís. O isolamento do povoado negro tornava maior a possibilidade da manutenção das relações de casamento sob a forma de amasiamento ou amigado (uniões sucessivas) que eram, para o autor, um mecanismo da dinâmica cultural comum no continente africano. Em São Luís, diante do olhar moralista dos brancos, era mais difícil manter essas relações de casamento. O trabalho coletivo ou em mutirão, assim como a importância do trabalho das mulheres (ambos, para o autor, herança dos ancestrais africanos), também continuava existindo com mais força no interior, por menores constrangimentos dos brancos em relação à organização do trabalho. O isolamento do meio rural, maior do que na cidade, ainda teria garantido aos negros do interior um nível maior de conservação das histórias do seu folclore e de muitos costumes.

Esse enfoque cioso da permanência ou estabilidade cultural é desmentido apenas quando emergem nesses estudos as chamadas crenças religiosas. Falando sobre a religião dos negros de Santo Antônio dos Pretos, Costa Eduardo (1948) afirma existir uma "dança

---

12. Interessa ao autor "the preservation of African ways of life, the acceptance of European customs and institutions, the degrees of integration which have been achieved between African and European traditions to form the present culture of Maranhão Negroes" (COSTA EDUARDO, 1948, p. 1-2).

de possessão", o terecô, no qual as pessoas eram incorporadas por determinados espíritos chamados de encantados. O ritual do terecô era feito em um pavilhão aberto que possuía um segundo cômodo com um santuário para os santos católicos e também para guardar pedras tidas como sagradas. Em seu início, as pessoas se prostravam no chão e cantavam uma música que misturava o português com palavras africanas, conhecida como La Varie ou São Varie. O autor apresenta duas versões da música[13]:

La Varie, riero
O Keta eta ae
O Mina nuezô, nuezõ
La Varie, riero
Verequete usa no bão
O Mina nuezõ, nuezõ
Mae Soboa nus valê
Pedro Angaço
nos valê.

São Varie, meu Deus
São Varie, budunso do lago,
São Varie, eiá
São Varie, Jakamado
São Varie, eiá
São Varie, Mãe Sobo,
São Varie, eiá
São Varie, Tinikaka,
São Varie, eiá
São Varie, Maria Bárbara,
São Varie, eiá
São Varie, Estrela Ferreira do Céu,
São Varie, eiá
São Varie, Senhovunso do má
(Costa Eduardo, 1948, p. 63).

Costa Eduardo continua descrevendo o salão e os instrumentos tocados (um tambor, um berimbau e um chocalho), ao tempo que afirma que eram poucos os requisitos para a admissão de um

13. Mundicarmo Ferretti se refere à música de abertura como "Novariê", onde "começa-se invocando Averequete (vodum da Casa Minas-jeje) e, depois dele, as principais entidades espirituais cultuadas pelo grupo" em Santo Antônio dos Pretos (FERRETTI, 2001a, p. 97). Averequete e Badé são duas entidades para as quais se toca constantemente em Codó. Eles são voduns da família de Queviossô, de origem nagô e hóspede na Casa das Minas em São Luís. Averequete é jovem, enquanto Badé é considerado adulto e chefe da família, que "que gosta de 'Mata' e de caboclo, e que vai em todo terreiro" (FERRETTI, 2000a, p. 18).

participante no ritual e sugere a inexistência de uma cerimônia de iniciação para os novos dançantes. Durante a dança, após incorporados, os encantados eram vestidos com uma espécie de uniforme. Para as mulheres, o uniforme era composto por blusa, touca e toalha brancas. Os homens também podiam ter uma toalha presa à cintura, mas dançavam de calça e com o torso nu.

Costa Eduardo ainda nos conta que, transcorrido algum tempo de sua primeira aparição, os encantados eram batizados, "da maneira católica", quando informavam seus nomes. Os nomes em português, para o autor, eram um sinal do esquecimento dos nomes africanos que, somados à simplicidade da iniciação, das roupas e dos rituais, mostravam o processo de aculturação que fazia evidente a influência do catolicismo. O autor conclui que, no ambiente rural, diferentemente de São Luís, os negros estiveram em condições de menor liberdade para conservar suas práticas religiosas.

É sobre a zona rural do Maranhão o trecho da obra de Costa Eduardo comentado por Roger Bastide, autor que enfatiza o contraste entre as religiões afro-brasileiras do interior e o tambor de Mina da capital. Para Bastide, em torno de uma "ilha de resistência africana", que seria São Luís, existia uma "zona de transição onde o catimbó e o tambor de Mina abandonam-se às mais estranhas uniões" (BASTIDE, 1971, p. 256) e onde a religião africana havia se misturado com outras práticas, encontrando diálogo com a pajelança indígena. Nesses locais, conservara-se vagamente a tradição africana e havia apenas uma "lembrança confusa da existência de alguns voduns daomeanos" (1971, p. 258-259).

Em sua análise, Bastide destaca a pobreza dos grupos negros rurais e o que considera a perda da exuberância dos trajes rituais e da complexidade dos processos de iniciação. A concepção da extrema simplicidade dessas práticas religiosas o permitiu concluir que, no interior, "Tem-se a impressão de se estar numa encruzilhada de religiões, ou antes, num beco sem saída em que se encontram as mais diversas místicas. Essas seitas em sua origem formaram-se provavelmente não sob o signo da fé, mas sob o manto da fraternidade na miséria" (BASTIDE, 1971, p. 261). A pobreza das pessoas – e das suas religiões misturadas – reforçava a tendência à valorização das expressões jeje-daomeanas da capital que mantinham, para o autor, mais bem conservadas as sobrevivências africanas – valorização que aqui aparece de forma mais evidente do que no trabalho de Costa Eduardo (1948).

Essa diferenciação hierarquizada entre interior e capital quiçá seja um dos fatores responsáveis pelo parco número de pesquisas sobre as religiões afro-brasileiras fora de São Luís (FERRETTI, 1996; FERRETTI, 2001a). Desde a década de 1970, o tambor de Mina tem sido estudado por alguns pesquisadores (como BARRETO, 1977; FERRETTI, 1996; FERRETI, 2000a; SOGBOSSI, 2004, entre outros), mas pesquisas sobre o terecô de Codó ainda são raras. No final da década de 1980, Mundicarmo e Sérgio Ferretti iniciaram visitas de campo e entrevistas em Codó, que levaram à publicação de diversos artigos (ver, por exemplo, FERRETTI, 1998, 2001b, 2003) e do livro *Encantaria de Barba Soeira: Codó, capital da magia negra?* (FERRETTI, 2001a). No livro, Mundicarmo Ferretti realiza um levantamento da produção sobre as religiões afro-brasileiras da cidade, destacando artigos de escritores regionais, vídeos e reportagens televisivas sobre Codó. Os relatos de campo são construídos a partir de entrevistas – em especial com Antoninha, mãe de santo conhecida pelo apego às tradições religiosas e até hoje muito lembrada na cidade – e da análise dos festejos dessa mãe de santo e de Mestre Bita do Barão.

O livro ainda se reporta à fama da cidade como "capital da magia negra", buscando entender a complexidade dessa notoriedade a partir de elementos como a ambiguidade de algumas entidades recebidas nas tendas de Codó. Ali, por exemplo, encantados como os da família de Légua Boji Buá são vistos como fazendo o bem e o mal; existe ainda a história dos antigos feiticeiros; os rituais que passam a ser realizados por determinadas tendas da cidade a partir da chegada da umbanda e da quimbanda, e que invocam exus e pombagiras.

Mundicarmo e Sérgio Ferretti se constituíram, nos últimos anos, como as principais referências (em conjunto com seus estudantes e orientandos) sobre as religiões afro-brasileiras do Maranhão. Essa literatura é bastante preocupada em caracterizar essas religiões, descrever seus principais rituais e compreender processos históricos pelos quais passam. A pesquisa que apresento neste livro, entretanto, ainda que devedora desses importantes estudos, foi pensada a partir de outras ênfases, que apresento na sequência do texto.

***

Quando cheguei em Codó, em 2010, meu conhecimento sobre as religiões afro-brasileiras – especialmente sobre o terecô – era reduzido. Esse relativo desconhecimento foi rapidamente percebido por aqueles que se tornaram os meus interlocutores e amigos durante o campo; e contrabalanceado por sua generosidade e paciência. A despeito da gentileza dos meus anfitriões, eles viram em mim alguém apta a aprender parte do que sabiam[14], além de me verem como alguém capaz de contar, fora dali, o que era o terecô da cidade. Codó, nos últimos anos antes da minha chegada, recebeu diversos jornalistas, equipes de revistas ou de programas televisivos e ninguém parecia surpreso com minha presença. A novidade, para os moradores, foi que eu permaneci por mais tempo do que esperavam e fiz minha vida por lá, alugando casa, fazendo supermercado e feira, encontrando-os pelas ruas sob o sol intenso.

O campo foi uma passagem entre o momento em que se esperava que a minha presença nos locais implicasse em perguntas e o tempo em que eu poderia ficar apenas conversando e acompanhando

14. Evidentemente, eu não poderia saber de tudo e nem saber tudo de uma vez só – e tive que, muitas vezes, entender a hora de parar de perguntar e me satisfazer com as respostas possíveis para o momento atual da minha relação com a Encantaria (afinal, nem mesmo pais e mães de santo – depois de uma vida inteira dedicada às entidades – sabem tudo sobre ela, como procurarei demonstrar).

o que diziam as pessoas sobre os temas mais diversos. Havia muitas interpretações sobre quem eu era e o que eu fazia, e nos primeiros meses em Codó eu percebi que, antes mesmo da minha chegada, havia um lugar pré-determinado no qual eu me encaixava. Como mulher jovem e branca, eu lembrava as mulheres da elite local, as "*doutoras*" que atendiam em serviços de saúde e as professoras de ensino superior, por exemplo. Transformei-me em uma "*doutora que gostava de conversar*", condição que não podia ser ignorada e escancarava uma cidade marcada por uma clivagem de classe e raça, em que a elite parecia pouco conviver (fechada nas casas cercadas por altos muros) com a maioria das pessoas. Nesse sentido, o tempo passado em campo (a passagem do "perguntar" para o "conversar") foi também um movimento de desconfiar e desnaturalizar os diversos privilégios que me rodeavam e tentar, a despeito das marcas indeléveis da minha condição, não os reforçar. Toda a escrita deste livro não pode ser dissociada da forma como eu era percebida e localizada em um corpo, que fala sobre categorias como gênero e raça (RICH, 2003; HARAWAY, 1995).

Ao estabelecer vida na cidade e conhecer, lentamente, terecozeiros e não terecozeiros, fui definindo algumas das preocupações da pesquisa. Elas dialogavam com a esfera da religião, mas também a transbordavam todo o tempo – pois eu estava preocupada com questões de acesso à saúde, com o preço das roupas das festas das tendas, com os casos de violência, com os namoros e as jocosidades do dia a dia. Por certo tempo, pensei que esse talvez fosse um ponto fraco da pesquisa – interessar-se pelo terecô, mas passar boa parte do tempo falando de outras coisas. Entretanto, ocorreu-me compreender que essa era uma abordagem que se perdia em determinados pontos e deixava de contribuir de forma mais evidente a debates fundamentais do campo da antropologia das religiões afro-brasileiras e de matriz africana, era mais fiel a certas questões que meu encontro com o campo e com a antropologia (na minha trajetória como estudante) tinham me colocado.

A partir disso, três eixos centrais nortearam a investigação que segue: i) a não separação entre as experiências religiosas e os outros domínios da vida social; ii) as interrogações sobre o significado, ao que aludo no início da introdução; e iii) a cadeia associativa entre religião e pobreza (e a pretensa e derrogatória irracionalidade dos engajamentos com ambas). A partir delas, minha expectativa é que o livro acompanhe o ritmo das coisas que aconteceram em campo, não estabelecendo limites e fronteiras entre as experiências religiosas, domésticas, familiares, as preocupações materiais e financeiras. Esse desejo é inspirado nas críticas de diferentes autores à forma com que a ciência ocidental provocou um achatamento do mundo e uma divisão entre as esferas ou os domínios que participam da vida dos sujeitos (LATOUR, 2012; INGOLD, 2006, 2012); no Brasil sobre a religião, ver Birman (2003) e Giumbelli (2008). Procede ainda de outras experiências etnográficas no Maranhão, como os trabalhos de Soares (1981), Mota (2009) e Pacheco (2004),[15] que relatam as dificuldades em estabelecer divisões claras entre ordinário e extraordinário; doméstico/cotidiano e ritual no âmbito das experiências com os encantados nesse contexto.

Os encantados, em campo, faziam-se presentes em momentos rituais, quando invocados em pontos cantados e acompanhados por tambores e cabaças, em espaços chamados de tendas, terreiros ou salões das religiões afro-brasileiras. Poderiam, assim, ser

15. Algumas passagens desses textos indicaram a dificuldade em estabelecer limites e distinções entre os domínios da vida social. Soares indica a "indissociabilidade entre o que se poderia chamar religioso – domínio da produção, distribuição e consumo de bens simbólicos definidos por sua marca distintiva sagrada/espiritual, domínio das crenças e das práticas que regulam o acesso ao plano divino ou diabólico, regido por forças singulares, segundo desígnios próprios – e o que se convencionou inscrever sob o rótulo da ludicidade, da jocosidade, do lazer, da informalidade, da irresponsabilidade, conjunto de práticas vistas, preconceituosamente, como indeterminadas, não submetidas a codificações sociais ou em que as regras seriam relaxadas" (SOARES, 1981, p. 155). Já Mota indica a dificuldade do uso da categoria "entidade sobrenatural", que segundo a autora, "se revela como conceito ambíguo, na medida em que o domínio religioso cobre uma extensão tão vasta da vida social dessas pessoas que o limite entre o profano-sagrado ou o natural-sobrenatural se torna extremamente difuso" (MOTA, 2009, p. 132).

descritos a partir de certa liturgia religiosa, de observações sobre indumentária e preceitos, ou mesmo de sua mitologia expressa nos pontos e no seu contar sobre si mesmos. Entretanto, o que chamava minha atenção era que eles também se faziam presentes em outros momentos. No que poderíamos considerar as atividades cotidianas das pessoas – cozinhar, beber cerveja em um bar, lavar a casa, cuidar dos filhos ou trabalhar na roça; os encantados apareciam, enviavam sinais, traziam recados. Além disso, ou para além de sua presença nos corpos por intermédio da incorporação, eles possuíam objetos espalhados pelas casas, estampavam fotografias presas às paredes, eram considerados "*donos*" de determinados espaços e, especialmente, eram personagens e protagonistas de conversas dificilmente consideradas religiosas, no sentido estrito do termo.

Ou seja, enquanto estive em Codó, notei como as religiões afro-brasileiras participavam do ambiente doméstico, engajando os familiares e os amigos; como a rotina da casa incluía as atividades das tendas; como o som da televisão se misturava com os pontos cantados nos rituais; como os encantados estavam presentes, assim como os parentes, nas fotos nas paredes da sala das casas (elementos que menciono, especialmente, no terceiro capítulo). Percebi ainda que nas memórias de pais e mães de santo, as experiências religiosas faziam parte das histórias sobre as famílias, sobre seus trabalhos, sobre sua saúde. Ser brincante não era uma parte da vida, mas a própria vida, em uma forma de ver o mundo que não fazia sentido sem a presença dos encantados e das entidades (CARDOSO, 2007) – e pensar como eles são afetados e afetam o cotidiano é parte de uma aposta teórico-metodológica presente em outros trabalhos que servem aqui de inspiração, como em Antonádia Borges (2007), Ndebele (1986) e Blanes e Espírito Santo (2014).

O segundo eixo que norteou a escrita deste livro tem a ver com a pesquisa de campo, mas me parece ainda tributário das questões que eu almejava como estudante de antropologia, que, imbuída de algumas leituras e estudos sobre religião e religiões afro-brasileiras, fui a campo bastante motivada com a questão do significado. Pensava naquelas razões e explicações latentes para as escolhas e as ações dos sujeitos – quando, olhando para um comportamento, por exemplo, seria plausível e desejável buscar uma explicação que relacionasse o que presenciamos a uma lógica, a uma razão que existiria para além de sua "mera" aparência. Não é muito difícil imaginar a profusão de significados em um contexto de pesquisa de onde florescem movimentos e gestos ritualizados, cores de roupas, turbantes e colares definidos para cada evento, rezas indecifráveis, pontos de abertura e saudações específicas às entidades.

Em pouco tempo, entretanto, percebi que as "perguntas do significado" – quando, por exemplo, eu indagava por que se cantava um ponto de determinada forma, por que se acendiam velas em horários e locais definidos – causavam constrangimento e costumavam ser respondidas com afirmações como "é assim porque é". Em sentido semelhante, certo dia, perguntei a uma mãe de santo por que o colar de contas (chamado ainda de rosário ou guia) que usariam na abertura de uma festa era nas cores vermelho, verde e branco. Ela me respondeu que "É dessa cor pra combinar com a roupa da festa" – o que me surpreendeu, porque eu previa, pela literatura e também por outras experiências com religião afro-brasileira, haver uma relação entre a cor do colar e determinada entidade. A resposta, contudo, desencadeou algumas questões interessantes. A primeira é a constatação de que sempre existiriam informações que não deveriam ser compartilhadas comigo – então, algumas formas de interpelar meu campo eram inférteis e me parecia interessante procurar outras formas de conversar. Além disso, uma segunda questão colocada pela mãe de santo é que existia uma combinação entre os elementos que compunham uma indumentária ritual (e que, evidentemente, a própria forma de pensar o que combinava não poderia ser pensado como óbvia). Preferi assumir que, ao invés de ser uma afirmação meramente fática, o que me era dito deveria ser tratado de forma simétrica, valorizado igualmente, como qualquer outra fala.

Como antropólogas, aprendemos ser importante levar a sério as considerações dos interlocutores de pesquisa. Pareceu-me evidente, a partir da situação da cor do colar de contas e de tantos outros momentos em campo, que eu não deveria considerar importantes apenas os significados que poderiam ser "encontrados" ou "revelados" a partir das práticas. Este livro é, nesse sentido, uma aposta na emergência pragmática das coisas (PEIRANO, 2001). Não descarto a possibilidade de serem realizadas pesquisas na cidade que busquem os "princípios organizadores" das experiências religiosas. A contribuição aqui, contudo, é distinta – ela não se debruça sobre as razões implícitas, o desvendar dos significados ou sobre a busca das origens. Essa foi uma opção que fiz em campo, buscando levar a sério o que meus interlocutores queriam ou não compartilhar comigo, dentro dos seus e dos nossos limites de interlocução e questionamento.

Imagino que existam elementos relacionados com essa busca do significado e das "origens" que alguns dos meus interlocutores desejariam ver na pesquisa – especialmente aqueles que têm se engajado com maior afinco com o cenário municipal da política institucional, com a possibilidade de angariar recursos por meio de projetos culturais ou que têm reforçado a necessidade de se reagir em frente a situações de preconceito e intolerância que têm sofrido. Essa arena de engajamento e disputa política é muito importante e nela faz muito sentido a compreensão do terecô como a religião tradicional da cidade, cuja procedência remonta ao período da escravidão e às experiências nas matas e roças locais (ver primeiro capítulo). Ainda, é importante mencionar que ela é vista por seus praticantes como uma religião distanciada do que vem sendo tratado, de forma acusatória e estigmatizadora na cidade, como feitiçaria ou magia negra.

Essas questões nos conduzem ao terceiro eixo presente, ainda que não de forma explícita, em todo o livro. Ele é fruto do meu estranhamento diante de uma afirmação que ouvi diversas vezes no campo, de que havia uma relação de causa e efeito entre pertencer a uma religião afro-brasileira e uma condição de classe/pobreza. Em síntese, eu ouvia – de homens e mulheres com quem conversava no comércio ou em outros serviços da cidade – que as pessoas eram pobres devido a sua religião ou eram "*da*" religião porque pobres. Nessa forma de ver, a pobreza explicaria as "*opções*" religiosas das pessoas, mas, não apenas isso; em simultâneo, a religião operaria sobre a pobreza, reproduzindo-a[16]. Nessa perspectiva, evidentemente, a pobreza não se reduzia a uma questão socioeconômica, mas remetia ao desconhecimento, à falta de escolaridade, certa ausência de "*esclarecimento*".

Essa explicação aciona uma cadeia associativa entre religião, pobreza e falta de conhecimento – relacionando um duplo estigma (ser pobre, ser de religião afro-brasileira) a um comportamento considerado, se não irracional, pelo menos equivocado. Em diversos sentidos ela é reducionista diante das experiências vividas pelas pessoas. Em primeiro lugar, porque o terecô possui práticas de conhecimento, aspectos cosmopráticos e um sistema de aprendizado que, como procurarei demonstrar durante os capítulos, é sofisticado e perpassa toda a trajetória de um brincante. A relação com os encantados expande, nesse sentido, a qualidade perceptiva do corpo, os saberes e as capacidades de uma pessoa.

Em segundo lugar, qualquer leitura rápida dos aspectos relacionados às condições financeiras e econômicas dos terecozeiros – que plasme experiências diversas na categoria "pobreza" – é incapaz de fazer uma análise sobre como vivem e percebem sua existência. Muitas das pessoas que convivi me disseram que passavam ou passaram por situações delicadas do ponto de vista do acesso a recursos financeiros – ou como diziam, por momentos de "*precisão*" – durante suas trajetórias. Ao tempo que nesses momentos a vida

16. Sulivan Barros (2000), ao entrevistar padres e pastores de Codó sobre as religiões afro-brasileiras, durante a pesquisa de sua dissertação de mestrado, ouviu a pobreza ser utilizada como explicação para que os codoenses frequentassem os terecôs.

era difícil quando se pensava na fome e na compra de remédios, por exemplo, ainda havia o desafio da manutenção das atividades com os encantados. As obrigações implicam dispêndios financeiros como aqueles empregados na compra de velas, na organização das festas e na costura das roupas. Elas não são elementos secundários que podem ser simplesmente deixados de lado, uma vez que constituintes das relações entre pessoas e entidades. Talvez por isso, a despeito da precisão e de todas as formas de perseguição ou apagamento das experiências dos brincantes, eles buscavam, de todas as maneiras, continuar tocando tambores.

Em contraposição a essa associação reducionista entre pobreza, religião e conhecimento, o esforço da pesquisa deste livro é o de mostrar a sofisticação, a diplomacia e o cuidado envolvidos no tambor da mata. Buscando compreender como se constrói e se investe na relação com seres diversos e distintos, esta escrita é também sobre política como forma de gestão do cotidiano e do ritual (ver BORGES, 2004; GOLDMAN, 2006; GOLDMAN; CRUZ DA SILVA, 1999; GOLDMAN; SANT'ANNA, 1999). Diante dessas diferentes ênfases, o livro é antes sobre o que o terecô faz e menos o que o terecô é.

1. AS MATAS DE SEU LÉGUA

Para o visitante não acostumado, a rotina em Codó era marcada por um conjunto de elementos que deixavam a cidade com uma interessante profusão de sons. Eram alto-falantes nos postes, caixas de som acopladas a bicicletas ou empurradas sobre rodinhas, carros, trios elétricos, buzinas de motos e muitos foguetes. Essa forma de comunicação marcava o ritmo constante do movimento nas ruas. Era possível saber sobre eventos, promoções comerciais, mortes, atendimentos de caridade de pais de santo, retorno das caravanas de romeiros que seguiam a Canindé e Juazeiro. Era por meio dela que podíamos ouvir os convites para os "*grandíssimos festejos*" em homenagem aos santos e encantados que balizavam o calendário de muitos codoenses, além do anúncio de serestas, shows de forró, reggae e "*technomelody*".

Se essa comunicação ocupava as ruas, a maneira de se movimentar em Codó era feita, em sua maior parte, a pé ou de moto[17], por não existir transporte público na cidade. Diversos caminhões "*paus de arara*" chegavam do interior do município e das cidades vizinhas com pessoas que vinham vender, comprar, ir aos bancos ou utilizar serviços de médicos e também de pais de santo. Para quase tudo se caminhava: para campanhas (fossem políticas, contra a violência ou para arrecadação de algum donativo), para cortejos ou visitas aos mortos, para homenagear e agradecer aos santos

17. No início da pesquisa de campo, cada viagem de mototáxi dentro do perímetro urbano custava três reais. O preço dos caminhões que fazem transporte para o interior variava, de acordo com a localidade de destino. Para se ter um parâmetro de comparação, o salário-mínimo, na época, era de 510 reais.

em procissão, para mostrar que "*Codó é de Jesus*". E todos esses movimentos vinham acompanhados de algum som característico, rezas, cantos religiosos ou músicas dos mais diversos gêneros.

Codó está localizada na região leste do Maranhão, no caminho da rodovia BR 316 que, junto à BR 135, faz o trajeto entre a capital São Luís (distante 300 quilômetros) e a cidade de Teresina no Piauí (a 170 quilômetros), na região dos Cocais – designação que remete à incidência das palmeiras de coco babaçu que marca sua paisagem. A sede do município se encontra a 17 quilômetros da rodovia federal que cruza seu território no povoado de nome Quilômetro Dezessete, local do desembarque de passageiros dos ônibus que possuem Codó em seu itinerário. Para chegar ao centro da cidade, quando do início da pesquisa, era preciso pegar um táxi (um "*carro de lotação*") que, por 20 ou 30 reais, deixava o visitante no perímetro urbano. Se esse não se importava em dividir o carro, um lugar custava cinco reais. Esse deslocamento ainda era feito com uso de mototáxi – inegavelmente o transporte mais utilizado na cidade e fonte de renda de muitos homens jovens.

Figura 1: Mapa da localização do município de Codó (Fonte: autora e José Aquino Júnior – Núcleo de Estudos e Pesquisas Ambientais, Universidade Federal do Maranhão).

Pesquisadores, jornalistas, estudantes e curiosos se deslocam para Codó para conhecer tendas, mães e pais de santo. Quando cheguei à cidade, percebi que existia uma espécie de roteiro sugerido pelas pessoas que recebiam quem chegava "*de fora*" (como os donos de estabelecimentos de hospedagem e os taxistas). Esse roteiro recomendava a ida às grandes tendas dos pais de santo Bita do Barão, Domingos Paiva e Aluízio Mota; mencionava aquelas que herdaram as tendas mais antigas, como Iracema (cujo salão pertenceu à Maria Piauí) e Maria dos Santos; fazia referência aos pais de santo jovens e de destaque, como Pedro e Café – contudo, trazia raras informações sobre quem eram e o que faziam essas pessoas.

No começo da minha estada na cidade, sem contatos de referência anteriores à chegada, eu segui, em parte, essas sugestões. A partir delas, foi possível conhecer outros pais de santo, rezadores e festeiros que me deslocaram do circuito previsto no roteiro e tornaram a pesquisa de campo uma andança aberta e inclusiva, um movimento de deslocamento entre tendas, consultas e festejos. Dessa forma, embora tenha convivido mais intensamente em algumas casas – como a de Luiza, Raimundinho Pombo Roxo, Bita do Barão e Pedro –, visitei diversos barracões da cidade durante o tempo em que nela residi e posteriormente, quando continuei a pesquisa já como professora da Universidade Federal do Maranhão.

Na medida em que me deslocava e permanecia em Codó, percebi que, muito além desse primeiro roteiro sugerido, os brincantes acreditavam que eu deveria conhecer diversas tendas, pois concebiam que a experiência de cada pai de santo era particular (já que "*cada casa faz de um jeito, cada casa tem sua moda*" – ideia que retomo em alguns momentos da escrita). Até o final do campo continuei visitando pessoas até então desconhecidas, suas casas e festejos, porque os convites nunca cessaram. A minha posição de pesquisadora, mimeticamente, assemelhava-se ao movimento das próprias pessoas (CARDOSO, 2007), entre a cidade e o campo (onde muitas trabalhavam), entre as tendas em celebração, entre as casas de amigos e familiares, entre as alternativas de tratamento e cura. Em virtude dessa aposta metodológica (inconsciente durante algum tempo e posteriormente tornada evidente), opto por introduzir a escrita apresentando os meus principais anfitriões (BORGES, 2013) desde que os conheci e visitei suas tendas.

Seguindo as recomendações das primeiras pessoas que encontrei na cidade, visitei a Loja de Umbanda Rainha Iemanjá, local onde o pai de santo Bita do Barão realizava o atendimento aos seus "*clientes*" – forma como, de maneira geral, denominava-se quem procurava ajuda de um mestre. Tido como o pai de santo de maior renome em Codó, ele foi a primeira indicação que me deram. No mesmo dia em que nos encontramos, ele me levou para conhecer um sítio (conhecido como "*Mistério dos Encantados*") onde efetuava parte dos seus rituais, na beira de um rio, na estrada de acesso a Codó. Lá permanecemos pouco tempo, apenas o suficiente para que o pai de santo me mostrasse alguns altares e "*assentamentos*" (local onde se deposita objetos que pertencem aos/ são os encantados), e pagasse os funcionários que cuidavam da limpeza do local.

No período da minha chegada, em setembro de 2010, havia um intenso movimento em torno das eleições para o governo federal e estadual. Caminhadas com as bandeiras dos partidos (anunciando a longa lista das alianças de Roseana Sarney para o governo do Maranhão), trios elétricos, motos e carros desfilavam em campanha. O início de outubro também foi marcado pelo dia da saída dos romeiros de São Francisco de Assis em direção ao santuário em Canindé, no estado do Ceará. Diversos ônibus e paus de arara – como são conhecidos os caminhões com carroceria aberta e bancos de madeira – deixaram Codó naqueles dias, para percorrer os mais de 700 quilômetros que separam as cidades. A maior comitiva de devotos foi organizada por um empresário local, Francisco Oliveira, cujos caminhões levaram cerca de 2 mil pessoas para celebrar o Santo.

No mesmo dia da saída dos paus de arara do empresário, três ônibus partiram da casa de Mestre Bita do Barão com destino a Canindé. Esperando para ver o deslocamento das pessoas, conheci algumas mulheres, vestidas com roupas marrons – cor do hábito franciscano e índice do pagamento de promessa para o Santo. Entre elas estava Luiza, uma senhora de 74 anos, que além de dançar no salão de Bita, era mãe de santo de uma pequena tenda nos fundos da sua casa. Ela se chamava Santa Helena e nela havia oito filhas de santo. No retorno de Canindé, Luiza faria uma "*brincadeira*" para São Francisco no local, celebrando-o também com seu terecô. O "*festejo*" gerou um convite para visitá-la, o que marcou o início de uma amizade que temos cultivado nos últimos anos.

Alguns dias depois, a caminho de um tambor de crioula[18], encontrei uma procissão em homenagem a Todos os Santos, realizada por uma senhora católica. Aquela era a última noite do seu festejo – uma celebração que ela recebeu como herança, uma promessa que vinha da avó, passou para a mãe e agora era sua responsabilidade – e ela sugeriu que eu conversasse um pai de santo de uma rua próxima à sua, que faria a festa de sua tenda em breve. Quando voltei para visitá-la, aproveitei para conhecê-lo. Seu Zé Preto "*tocaria um tambor*" no final do mês, para Nossa Senhora da Graça, em sua tenda nos fundos de casa, no bairro Codó Novo. Ele era de Caxias, uma cidade que fica a 100 quilômetro de distância de Codó e entrou na umbanda sob os cuidados de Zé Bruno, notório pai de santo que criou, em torno de sua figura, uma localidade chamada Nazaré do Bruno.

Em seguida conheci Pedro, por intermédio de alguns professores do Instituto Federal de Educação, Ciência e Tecnologia do Maranhão, em um evento. Naquela noite, Pedro me convidou para

---

18. Tambor de Crioula é uma dança feita ao som de três diferentes tambores. É tida como uma manifestação de origem negra, realizada em diferentes partes do Brasil. No Maranhão, "tem inúmeras conexões com a religiosidade popular" (FERRETTI, 2002, p. 129).

ir à sua casa e combinamos que me pegaria, de moto, nos próximos dias, para ver como eram as consultas realizadas por seus encantados. Na época, Pedro estava com 34 anos, e atendia na casa de sua mãe, por isso, conheci, além das entidades Chica Baiana e Maria Padilha, seus familiares. Apesar de ser jovem, ele era bastante conhecido na cidade, entre outros fatores, por ser neto de seu Gili, um senhor considerado um dos grandes brincantes do passado. Nos anos seguintes, Pedro construiu uma casa em um bairro de ocupação recente, com o espaço para as entidades com as quais "*trabalhava*".

Por sugestão de Luiza, procurei dona Jesus de João Marabaia (ou Barabaia), mãe de santo que também dançava na tenda de Mestre Bita (desde 1967) e possuía um salão no terreno de sua residência, chamado Casa de Cura Cabana de Preto Velho. Luiza sugeriu que eu a procurasse no festejo que fazia em homenagem à Santa Maria, um pagamento de promessa que herdou de sua falecida mãe. O salão era novo, havia sido construído há apenas quatro anos. Nele dançavam cinco mulheres. Na mesma semana fui, pela primeira vez, ao barracão considerado a primeira tenda de umbanda de Codó, então chefiada por Iracema – a Tenda Espírita de Umbanda Santo Antônio, que pertenceu à Maria Piauí. Foi na tenda de Iracema que vi, pela primeira vez, os pais de santo Raimundinho Pombo Roxo e Café. Eles dançaram acompanhados de seus filhos de santo, provavelmente retribuindo uma "*visita*" feita pela casa anfitriã em momento anterior. Depois de vê-los no barracão de Iracema, procurei-os em suas casas, retornando para conversas posteriores, visitas diversas e também para seus festejos.

O pai de santo Café, que vi dançar nessa noite na tenda de Iracema, tinha apenas 28 anos em 2010. Sua tenda, dedicada a São Cipriano, fica em um morro da cidade, ao lado da Igreja de São Pedro. Embora tenha acompanhando apenas uma gira e parte dos festejos da tenda, encontrei Café diversas vezes, pois, juntamente aos seus filhos de santo, ele visitava e dançava em muitas tendas de Codó e região. Posteriormente a casa se tornou um importante espaço de pesquisa de uma das minhas orientandas, por isso voltei a ela nos anos seguintes (ver Lima, 2019).

Seu Raimundinho Pombo Roxo tem uma tenda dedicada a São Domingos, em uma rua próxima a uma das casas em que morei. Já idoso, ele não fazia mais "*linhas de roça*"[19] no interior e se dedicava integralmente aos seus 28 filhos de santo. Em uma das ocasiões nas quais estive em sua casa – um festejo para Cosme e Damião (além dos santos gêmeos, nela se festeja São Domingos e Santa Luiza) –, conheci o pai de santo Sebastião, padrinho do local e amigo de Raimundinho. Sebastião morava em um povoado chamado São Cristóvão, onde possuía uma tenda própria, que nunca cheguei a visitar. A primeira conversa que tive com Raimundinho Pombo Roxo foi depois de uma reunião da Associação de Candomblé, Umbanda e Religiões Afro-brasileiras de Codó e Região.

Participei de algumas reuniões na sede da Associação que ficava na vizinhança de uma das casas onde residi. Lá ainda conheci outros pais de santo e visitei, no término do período que passei na cidade, as mães de santo Beata e Nilza. Mãe Nilza, além de preparada na Mata, foi iniciada no candomblé e sua tenda (Ylé Axé de Oxosse e Ogum) raramente toca o tambor da Mata. Mãe Beata, na época com 62 anos, tinha sido preparada na Mina, na Mata e no candomblé, três ritmos que tocava na tenda Casa de Candomblé Xangô e Iemanjá. Ainda foi na Associação que fiquei sabendo da festa de Teresinha, mãe de santo de 64 anos que possuía uma pequena tenda na esquina da "minha" rua.

Em diversos eventos na cidade, conheci outros pais e mães de santo. Seu João Tavares e dona Maria dos Santos participaram de uma celebração inter-religiosa realizada no Dia do Negro, no Centro Operário Codoense[20]. Já haviam sugerido, diversas vezes, que eu

19. Uma linha de roça corresponde a 0,33 hectares de terra.

20. O Centro Operário Codoense é uma entidade negra fundada em 1953. É uma das mutuarias da cidade.

conversasse com Maria dos Santos quando fui a sua procura em um fim de tarde. Sua casa fica ao lado da Tenda Santa Bárbara e foi nela que a mãe de santo me contou sobre sua trajetória no terecô, relatando os primeiros sinais de "*mediunidade*" aos 10 anos (quando a conheci, estava com 72 anos). Seu João passava parte do dia no Centro Operário Codoense, porque era tesoureiro do local. Como era caminho de uma das casas onde morei, no centro de Codó, sempre nos encontrávamos pela rua. Em um desses encontros, marquei uma visita. A Tenda Espírita de Umbanda e Cultos Afro-brasileiros São Benedito e São José de Ribamar é designada desta maneira, com o acréscimo de "cultos afro-brasileiros", porque além da umbanda e da Mata, o pai de santo faz iniciação no candomblé. Seu João estava com 75 anos e tinha filhos de santo em Codó (oito pessoas) e também em São Luís (12), cidade onde residiu em grande parte da vida.

Ainda no primeiro ano da pesquisa de campo acompanhei a festa de Pai Aluízio Mota, chefe da Tenda São Raimundo e Santa Filomena, localizada perto da casa de Luiza. Ele foi preparado aos 14 anos, por Mãe Antoninha, em cujo salão dançava. Da mesma forma, nesse período estive com seu Bigobar, pai de santo da Tenda Santa Barba e São José, localizada no povoado de Santo Antônio dos Pretos. Desloquei-me para o festejo com seu Raimundinho Pombo Roxo e alguns de seus filhos de santo, em uma caminhonete que alugamos para realizar o trajeto. Conheci ainda o pai de santo Zé Willan, chefe da Tenda Santa Bárbara, salão localizado no povoado de Morada Nova, na cidade de Lima Campos – distante 90 quilômetros de Codó. A primeira vez que o vi foi dançando em salões codoenses. Com exceção das tendas de seu Bigobar e de Zé Willan, os outros barracões que frequentei estavam localizados no perímetro urbano.

Sempre que compartilhei do tempo dos pais e mães de santo, tive oportunidade de conhecer seus familiares e parte de seus encantados. Em algumas casas retornei poucas vezes, mas, em outras, passava para conversas informais, voltava para assistir a toques de tambor e ajudava nos preparativos dos festejos. Quando sabia de algum evento, visita ao cemitério ou enterro de pessoa conhecida, buscava acompanhar meus interlocutores e amigos (temas que retomo no quinto capítulo). Nos últimos anos, alguns pais de santo que conheci faleceram (além de alguns de seus filhos de santo), como seu Zé Preto, seu Aluízio, seu João Tavares, seu Bigobar e Mestre Bita do Barão – o que levou a transformação em algumas tendas e mesmo a processos de fechamento de casas. Em algumas delas conversei com familiares, mas não retornei para a continuidade da pesquisa de campo.

Circular entre diferentes tendas, além de uma mimese do movimento das pessoas e dos encantados, foi uma forma interessante de "driblar" algumas dificuldades do campo. Uma crítica constante realizada por pais e mães de santo era a ênfase dada por outros pesquisadores ou jornalistas a Mestre Bita do Barão – especialmente por ser considerado pai de santo da família Sarney. Para eles, existe um apagamento das atividades de outros chefes de tenda de Codó, que não conseguiam destaque e não tinham acesso a recursos para a melhoria de seus barracões. Circular entre tendas, portanto, era uma postura percebida positivamente pelas pessoas, pois permitia valorizar outros salões. Um bom começo para isso era visitá-los em sua face pública mais evidente, os festejos que realizavam aos santos e encantados, momento em que estreavam com orgulho as "*roupas novas*" e que recebiam com entusiasmo visitantes diversos (como tratarei no terceiro capítulo).

Igualmente – esse me parecer ser um ponto importante –, andar entre os salões, para meus interlocutores, permitia saber mais sobre a religião, já que os mestres "*fazem*" suas atividades de forma diferente. Café certa vez me disse que "*Cada casa tem seu jeito, suas coisas, sua maneira e sua moda*" e que eu, como pesquisadora, deveria ir a diversas delas aprender sobre as formas de fazer terecô. A variação entre as tendas não era vista pelos terecozeiros que conheci como um problema – o que não quer dizer que concordavam com o que todos os pais de santo faziam ou com as características de todas as casas. As distinções em si, entretanto, não eram reprovadas, antes vistas como possibilidades e particularidades que não afetavam ou ofendiam qualquer ortodoxia pretendida ou unidade esperada. A experiência etnográfica em Codó, portanto, apresentou-se calcada em "lugares evento" (DANIEL, 1996, p. 56), o que permite lançar um olhar aos "lugares ou objetos que se manifestam como ações" (BORGES, 2004, p. 11) ou mesmo como uma etnografia em movimento (que acompanha encantados e pessoas) – um andar que conjuga espaço, tempo e conhecimento, em que a configuração dos fenômenos vai sendo revelada em um "terreno imensamente variado, de idas e vindas, que se forma continuamente em torno do viajante, mesmo enquanto os movimentos deste contribuem para sua formação" (INGOLD, 2005, p. 81).

Evidentemente, essa escolha metodológica pode apresentar problemas. Algumas vezes fui questionada por outros pesquisadores sobre a profundidade das informações ou o adensamento de relações com determinadas pessoas. Parte dessas questões terminou por ser enfrentada nos anos seguintes, especialmente após ter me tornado professora em São Luís, em 2014. Dividir as atividades docentes com o trabalho de campo me levou a passar períodos mais curtos de tempo em Codó, quando, menos do que acompanhar todas as casas que tinha conhecido durante o primeiro ano da pesquisa, terminei por conviver de forma mais intensa com Luizinha e com seu Raimundinho Pombo Roxo. Nesses momentos, também algumas preocupações minhas de pesquisa foram se transformando. De um olhar preocupado com a relação entre pessoas, encantados e tendas, passei a me interessar mais detidamente pela constituição das casas e pelas relações familiares.

Meu deslocamento e o dos meus interlocutores entre as tendas é apenas uma das formas de pensar no movimento em campo. Além disso, como buscarei mostrar neste capítulo, os encantados atravessam dimensões como a terra e a Encantaria e revolvem noções de tempo e espaço; pessoas caminham para poder tocar tambores longe dos olhares persecutórios e preconceituosos do que foi a atuação da polícia, para poder trabalhar e ter acesso à terra para o cultivo e a subsistência. Falar dos movimentos e da mobilidade – seja de pessoas ou de encantados –, nesse contexto, é também falar sobre deslocamento forçado, ocupação de terras, construção de casas e salões. Nesse sentido, se o movimento fez parte de como estabeleci a minha relação com a pesquisa de campo e o local onde passei a viver, ele também se mostrou fundamental para entender como as pessoas que tive a oportunidade de conhecer viviam.

As terras da encantaria

Mathias Röhrig Assunção (2015) aponta algumas singularidades de como se estabeleceu o regime escravocrata no Maranhão. Como afirma o autor, ele aconteceu de forma tardia na região quando comparado ao restante do Brasil. Entretanto, seu incremento foi expressivo entre 1755 e 1850, quando o cultivo de algodão se destacou no mercado internacional. Nesse momento, "às vésperas da Independência, o Maranhão era a província brasileira com maior percentual de escravizados (78 mil, ou 55% da população)" (ASSUNÇÃO, 2010, p. 69). É o declínio da lavoura algodoeira um dos elementos que impacta na diminuição do tráfico antes mesmo da Abolição, em um cenário marcado pelas péssimas condições de trabalho, por endemias frequentes e por revoluções populares.

Essas singularidades levaram ainda a uma configuração particular da relação com a terra no estado[21]. A ausência de valor

21. A escrita que faço nesta parte do capítulo, baseada em Almeida e Assunção, em relação à terra, está sujeita à crítica de Borges (2014) sobre o tratamento unívoco que empregamos a este conceito o associando imediatamente à ideia de produção e propriedade. Diante disso, me parece fundamental uma ressalva que indique que, a despeito dessa narrativa hegemônica, encantados e brincantes forjam outros sentidos à terra (ver AHLERT, 2020).

monetário das terras, assim como o declínio do rendimento dos cultivos, resultou "na ocupação de muitas terras por ex-escravos antes e depois da Abolição, as chamadas 'terras de preto', mais numerosas no Maranhão do que em qualquer outro estado" (ASSUNÇÃO, 2015, p. 69-70). Para Almeida, a partir da segunda metade do século XIX, "A flutuação de preços do açúcar e do algodão no mercado externo é unanimemente apontada como um dos principais fatores que levaram à desorganização de grandes fazendas monocultoras" (2002, p. 78), quando muitos proprietários endividados venderam terras aos negros que trabalhavam na condição de escravos ou as abandonaram. A permanência de famílias negras nas terras em Codó marcou o contexto rural do município, que, no período escravocrata, foi uma das três regiões que concentrou a chegada e distribuição de pessoas escravizadas no Maranhão (BARROS, 2000; COSTA EDUARDO, 1948; MACHADO, 1999)[22].

Outros elementos somaram à configuração da zona rural local, que desde a década de 1920 recebeu migrantes de outros estados nordestinos, impulsionados, entre diversos motivos, pelo declínio do algodão no local de onde provinham e pelas grandes secas. Segundo Antunes (2006), o processo migratório para o Vale do Itapecuru (cujo rio homônimo corta a cidade) "tem seu pico entre as décadas de 1950 e 1960, se expandindo até 1970" (ANTUNES, 2006, p. 123), quando a região recebeu, especialmente, piauienses e cearenses, em um movimento cunhado na bibliografia como a "expansão da fronteira oeste" (ver VELHO, 1979). Costa Eduardo (1948), por exemplo, já menciona a presença de trabalhadores rurais migrantes em Santo Antônio dos Pretos na década de 1940.

---

22. Os negros escravizados que chegaram ao Maranhão foram concentrados em três regiões: a capital São Luís, a região de Cururupu e Turiaçu no litoral norte do estado, e a região de Codó e Caxias (CHAMBOULEYRON, 2006). Para uma análise das redes e alianças estabelecidas entre negros (fugidos e mocambeiros) e entre outros grupos (fazendeiros, recrutas da polícia etc.) no Maranhão oitocentista, ver Gomes (2007).

A partir dos anos de 1970, a zona rural de Codó se tornou cenário de outra forma de mobilidade. Moradores passaram a ser expulsos com maior frequência de terras onde viviam, diante de uma associação entre a valorização monetária delas, a grilagem e a ausência de documentos comprobatórios de propriedade. Para Almeida, no Maranhão, "A grilagem é uma constante, inclusive fomentada por iniciativas dos próprios organismos governamentais. Grande parte dos lavradores (ocupantes, posseiros) permanece sem títulos de propriedade" (2002, p. 34). Essa violência incidiu/incide sobre as comunidades negras rurais, mas também sobre os migrantes dos outros estados, uma vez que o Maranhão

> constituiu a porteira oriental da região amazônica, espaço dramático em que os posseiros, acostumados à "liberdade" das terras devolutas, são surpreendidos por uma trágica novidade: a presença de donos das terras empenhados em afirmar, pela força, seus direitos forjados pela cumplicidade do aparelho jurídico ou pela corrupção direta dos funcionários do poder (SOARES, 1981, p. 28).

O deslocamento entre a zona rural e a sede do município codoense se intensificou a partir dos anos de 1970[23] e balizou a constituição do perímetro urbano, com a expansão de novos bairros nas décadas seguintes. Os locais onde viviam Luiza, Aluízio e Zé Preto, por exemplo, foram constituídos como espaços residenciais no final daquela década e no início dos anos de 1980. Toda a região era considerada propriedade de uma família de políticos que, sob relações que misturavam controle rígido e (paradoxalmente)

---

23. Segundo Flávia Moura, em Codó a "[...] principal característica da estrutura agrícola é a predominância da grande propriedade fundiária – os latifúndios de mais de mil hectares ocupam quase 55% da área total dos estabelecimentos – que tem na produção de gado e na manutenção da terra como reserva de valor sua principal função econômica" (2009, p. 28).

desinteresse, "permitiam" a ocupação do espaço. Luiza e suas vizinhas se recordavam, por exemplo, de um "*encarregado*" do político, que costumava passar a cavalo pelo bairro que então se formava, intimidando as pessoas e queimando suas casas.

Embora muitos trabalhadores rurais tenham estabelecido casas na cidade, a ausência de empregos no perímetro urbano e o fato de possuírem conhecimentos laborais relacionados à terra acabaram condicionando o retorno para o campo cotidianamente, para a quebra do coco babaçu e para colocar linhas de roça. Esse cultivo de gêneros alimentícios (comumente o arroz) podia ser uma atividade desenvolvida na terra de algum conhecido, mas normalmente era feita em terra *alheia*, de grandes propriedades, pela concessão mediante "acordo" com seu suposto dono (quando se pagava em dinheiro ou em produção). Como indica Moura (2009), essa forma de arrendamento da terra é vantajosa ao proprietário, que costuma se precaver de possíveis incômodos, proibindo o arrendatário de plantar mais de 10 linhas de roça, não deixando plantar mandioca que demora mais tempo para ser colhida e não alugando a terra por mais de cinco anos para o mesmo trabalhador, para não caracterizar posse do terreno[24].

A maior parte das pessoas com quem convivi em campo morava na cidade, mas exercia atividades laborais no contexto rural. A mata e a roça, nesse sentido, não eram espaços distantes da casa, pois estavam a poucos quilômetros e ocupavam o tempo cotidiano. Muitas mulheres trabalhavam com seus maridos na roça, contudo, a atividade realizada por elas com maior frequência era a quebra de coco babaçu. Desde 1987, a Prefeitura Municipal de Codó fornecia um caminhão que levava as quebradeiras de coco até uma das áreas de palmeiras no interior do município (medida

24. Dentre as atividades tidas como masculinas e ligadas ao campo, o "roçado de juquira" – que consiste na limpeza do campo onde foi plantado pasto para o gado – é considerado a pior delas; é uma atividade realizada, muitas vezes, por trabalhadores em condição de trabalho escravo.

que não dava conta nem dos diferentes destinos das quebradeiras, nem mesmo da quantidade de mulheres que se deslocava). Muitas delas utilizavam formas próprias de deslocamento, como bicicletas e motos. Com o coco era possível manter determinadas atividades domésticas, pois se cozinhava em fogões de barro utilizando o carvão da casca e o azeite do babaçu, por exemplo. Além disso, era possível conseguir algum dinheiro (normalmente entre seis e 10 reais por dia, de acordo com a quantidade de quilos de coco quebrado) com a venda para empresários locais ou seus intermediários. Além do coco que algumas vezes esperava no pátio das casas o tempo da quebra, outros elementos falavam da intimidade entre campo e cidade, como o arroz que secava no asfalto da rua, os porcos e as galinhas criados atrás das residências. Igualmente, a produção rural era fonte financeira e material da feitura de diversos festejos para santos e encantados, pois neles se consumia alimentos produzidos na roça.

Antes de estabelecer casa na cidade, entretanto, muitos brincantes que conheci residiram em diferentes povoados da zona rural de Codó ou da vizinhança. Seu Raimundinho Pombo Roxo me contou, algumas vezes, como essas mudanças aconteceram em sua vida, fornecendo-me elementos para entender algo sobre a relação dos deslocamentos com a chefia de sua tenda de Terecô. Raimundo era seu nome de batismo, Pombo Roxo, o de seu encantado chefe de croa. Quando nos conhecemos, ele vivia, com sua esposa e outros membros da família – sua filha, um neto de criação e um tio da esposa –, no bairro São Francisco, próximo ao centro. Sua casa era, como as vizinhas, "*colada à rua*" e ocupava a frente do terreno. Nos fundos, separado da residência por um pátio onde santos e assentamentos conviviam com um cruzeiro, os varais e as roupas estendidas, estava seu salão.

Seu Raimundinho "*assumiu a responsabilidade*" de colocar uma tenda de terecô ainda jovem, com pouco mais de 20 anos, após ter sido preparado, aos 12, por três pais de santo – Nazária, Lourenço

Caçador e Doutor Saturnino. Seu primeiro salão foi construído no povoado onde vivia, local de nome Trindade, espaço onde seus feitos começaram a ser reconhecidos. Apesar de lá viver há anos, ele não possuía documentos de propriedade da terra. De Trindade, sua família saiu tempo depois, quando foi morar em Santo Amaro, outro povoado rural. Nesse espaço, o pai de santo construiu uma tenda e também edificou quartos para abrigar visitantes (outros terecozeiros que vinham participar de suas festas) e pessoas doentes em tratamento, haja vista a importância dos rituais de cura no terecô. Em Santo Amaro, a terra também não lhe pertencia, visto que era de uma empresa de cimento, de forma que, como me disse, *"a fábrica precisou, aí eu tive que sair"*. Tendo que se mudar novamente, o pai de santo foi viver no povoado de Galileia, onde construiu uma tenda mais modesta do que a anterior e de onde teve que sair posteriormente, quando foi viver na cidade.

Nessa última mudança, seu Raimundinho disse que estava convencido de que não *"colocaria salão"*. Contrariando seu próprio pensamento (afinal, sempre existe a presença e a influência dos encantados), em pouco tempo edificou a Tenda Espírita de Umbanda São Domingos. O ano foi 1986: o salão começou pequeno e humilde, até ganhar a forma como o conheci. No início, era de barro e palha, não tinha telhado nas laterais, não havia cores nas paredes. Sobre os deslocamentos, seu Raimundinho dizia: *"Quando eu botei barracão, eu estava com 22 anos. Eu morava no interior, só no interior eu fiz cinco barracões [...] Primeiro eu queria fazer barracão, mas eu não tinha terra. Aí, eu fazia, alguém vendia o terreno. Aí perdia. Aí perdia..."* (Raimundinho Pombo Roxo, entrevista em 06 de setembro de 2011).

A despeito de suas estratégias concretas, práticas e espirituais para mover objetos (altares, toalhas, estátuas de santos, quadros etc.) que compunham tendas para os novos locais de moradia, seu Raimundinho via os movimentos contendo também efeitos danosos, causados pela insegurança fundiária – quando os salões eram "*perdidos*". Existiam elementos que poderiam ser carregados nos deslocamentos, como os assentamentos que podiam ser desenterrados e os santos que poderiam ser "*agasalhados*" (enrolados) em panos e guardados em caixas. Os salões, entretanto, eram desfeitos, deixados para trás (ver quinto capítulo).

Luiza, quando falava sobre as mudanças entre os povoados onde viveu, também indicava a possibilidade de quebra de determinados vínculos entre pessoas e encantados. Em um dos povoados, ela teve uma relação muito próxima com um conjunto de árvores. Um pé de pitomba, um de violeta e um de jatobá a ensinaram a fazer curas e a ajudavam a atender as pessoas que a procuravam, pois eram, para ela, árvores encantadas. Quando Luiza precisou deixar o povoado onde vivia com as árvores, o elo com elas teve que ser rompido – ou seja, o conhecimento que provinha da conversa com elas foi arrefecido, assim como, inevitavelmente, a força de Luiza. Como os encantados podem estar vinculados a espaços físicos – como cachoeiras e árvores –, as situações de insegurança fundiária podem ser percebidas também como experiências de insegurança ontológica, nos termos tratados por Borges (2011) ao analisar as relações entre as pessoas, os ancestrais e a terra no contexto pós-apartheid na África do Sul.

Apesar de estabelecer casa e salão na cidade, seu Raimundinho Pombo Roxo e dona Masé (sua esposa) continuaram voltando ao interior do município toda semana, para plantar linhas de roça e quebrar coco babaçu. Eles dividiam a estadia na roça com as atividades na tenda e, com essas duas fontes de recurso, a condição financeira da família melhorou. Em 2017, algumas heranças tornaram o casal dono de três casas em um loteamento popular recentemente construído em Codó, local para onde seguiam de moto no final da tarde para alimentar pequenos animais. Certa vez, Masé me esperava para irmos juntas até lá, ver como as casas estavam. Duas eram dela – uma de taipa e uma de alvenaria, herança do tio que cuidou até a morte –, a outra era de Raimundinho. Pouco tempo antes da nossa visita, um dos seus irmãos, que há muitos anos vivia no Rio de Janeiro, passou alguns dias morando em uma delas, enquanto procurava emprego em Codó. A estadia foi breve, pois, diante do insucesso da empreitada, mesmo aos 62 anos, ele partiu para a capital paulista, apostando na possibilidade de trabalho. Naquele dia, deslocamo-nos levando alguns instrumentos como pás e enxadas, e a comida para duas cachorras que foram deixadas em uma das casas durante o festejo realizado na tenda. Nem da casa onde viviam há anos e nem das casas novas Raimundinho e Masé possuíam documentos de propriedade.

Tal como aconteceu com o casal, outros pais e mães de santo que conheci deixaram a zona rural por processos que mesclavam trabalho escravo, expulsão e grilagem das terras. Entretanto, ao contarem os diferentes movimentos feitos a cavalo, a pé, de carona, de pau de arara ou de moto entre os povoados, raramente concentravam sua narrativa apenas nos aspectos violentos dos deslocamentos. Penso que não se tratava de negar a expropriação ou o sofrimento efeitos de condições de raça e de classe presentes nesse contexto de desigualdades, mas de ampliar a capacidade de desenquadrar a opressão. Assim, eles apresentavam outros motivos para sua chegada à cidade, contando histórias sobre casamentos, convites dos amigos, promessas de uma vida melhor, possibilidades de instalar suas tendas religiosas, atração por sua fama como local de poder e energia para a religião. Otávio Velho, ao tratar dos deslocamentos no Nordeste brasileiro, sugere um olhar delicado às razões invocadas como vetores do movimento, "Todas, evidentemente, baseadas em experiências muito reais, mas, ao mesmo tempo expressando a desconfiança e uma vontade de testar a possibilidade (ainda) de exercitar a liberdade" (VELHO, 1995, p. 30). Talvez essa seja uma chave para entender que os movimentos realizados pelas pessoas não terminaram com o estabelecimento na cidade, mas continuaram por meio da recorrente mobilidade para estados do Sudeste e do Centro-Oeste do Brasil.

Só entra na mata quem encantado quer

Quando pensamos o terecô, uma multiplicidade de formas de abordar a zona rural, a relação com a terra e com as matas se coloca. Não é raro ouvir, em Codó, que a religião teria começado nas roças das fazendas, nas beiras de lagoas, dentro do mato – lócus de rituais religiosos ou, como diziam os mestres, espaço onde se tocava tambor e se fazia muita festa. Proibidos pelos senhores de escravos e posteriormente pela polícia, os rituais só podiam ser feitos às escondidas. Seu Bigobar, pai de santo do povoado de Santo Antônio dos Pretos, contou-me que nem todos podiam acessar esses locais, pois "*só entravam na mata aqueles que os encantados queriam*".

Pais de santo mais antigos, como seu Raimundinho e seu João Tavares (ambos, na época do início da pesquisa, com mais de 70 anos), começaram suas trajetórias como terecozeiros nesses espaços[25]. Seu João Tavares acompanhava sua avó e mãe de criação Maria Pretinha:

> *A família toda é de tradição de religião afrodescendente, porque naquela época eu ainda alcancei, era proibido pela polícia, e eu acompanhava a minha avó. Era pra dentro do mato, naqueles grupos. Digamos assim, vamos fazer um tambor tal dia, aí nós, quatro dias antes, ia duas ou três pessoas fazer uma latada lá no mato, na beira do rio Codozinho* [...] *Latada é uns paus hasteados assim, aí bota outros assim por cima, aí bota palha de palmeira. Entendeu? Isso é o linguajar*

---

25. Mundicarmo Ferretti traz as colocações de Mãe Antoninha sobre esse momento do terecô de Codó: "Segundo aquela mãe de santo, quando surgiram as primeiras casas de Tambor de Mina em São Luís, os negros de Codó faziam suas 'obrigações' e suas festas na 'mata de coco' (babaçual?) ou na roça, embaixo das árvores, longe dos olhos dos senhores de escravos e da polícia, sua aliada. Ali, cada um que realizava uma festa de santo convidava seus parentes e com eles iam os encantados. Assim, como o grupo de Codó reunia-se cada vez em um lugar diferente, não se construíram logo, ali, casas de cultos de origem africana, como em São Luís" (FERRETTI, 2000a, p. 93-94).

> *nosso, latada. Ai ia brincar lá no mato escondido, porque era proibido* (João Tavares, em 03 de setembro de 2011).

Foi em uma dessas festas, no interior da mata, que seu João Tavares se lembra de ter "*sumido*" pela primeira vez, ou seja, recebido seu encantado, quando tinha 10 anos. Seu Raimundinho "*brincava*" na mata quando tinha cerca de 14 anos. Ele se lembrava de que o chão de terra era molhado para não criar poeira – tanto para melhorar as condições para os dançantes quanto para não chamar a atenção de quem era contra a realização dos terecôs. Afirma que tomavam cuidados em virtude da perseguição policial, por isso, faziam o deslocamento a esses locais sempre à noite, ou "*quando íamos de dia, nós íamos de um, de dois a dois, pra ninguém desconfiar*". Outras estratégias eram utilizadas pelos terecozeiros diante da proibição de fazendeiros e da polícia, como fazer rituais apenas batendo palmas ou cantando em tom baixo (Luizinha chamava esta prática de "*gira sem tambor*", quando as batidas dos pés no solo marcavam o compasso dos pontos).

A perseguição policial é tema de diversas histórias sobre o terecô, contadas para os pesquisadores, como eu, mas também compartilhadas em conversas entre os brincantes. A figura mais conhecida dessas narrativas é tenente Vitorino, que teria chefiado a delegacia da cidade na época que seu Raimundinho era jovem. Não me interessei por buscar fontes historiográficas sobre sua existência e presença em Codó, uma vez que meu interesse era perceber como ele era mobilizado por parte dos terecozeiros para falar sobre a religião. Tenente Vitorino é, nesse sentido, figura cantada, inclusive, nos pontos tocados nas tendas:

> *O baia, baia, baia, o baia, baiador*
> *O Tenente Vitorino, quer acabar com terecô*
> *O Tenente Vitorino, é homem muito maligno*
> *Quer acabar com terecô, com cipó de tamarindo.*

Existem algumas narrativas (e diversas variações delas) contando como pais e mães de santo, no passado, conseguiam fazer com que a polícia não os encontrasse. Era comum ouvi-las em referência à Maria Piauí e seus poderes como mestre. Dizia-se que os policiais ouviam o som dos seus tambores marcando o início dos rituais, mas que quando se deslocavam em direção a eles, acabavam se perdendo. Quando percebiam, já estavam em outros locais do município. Era corriqueiro ainda escutar que quando os policiais encontravam o local do tambor, "*caíam*" (ou seja, recebiam encantado) dançando até a manhã do dia seguinte. Dona Chica Baiana, encantada recebida pelo pai de santo Pedro, disse que o próprio tenente Vitorino, que teria vindo para acabar com o tambor, "*dançou terecô dois dias e duas noites dentro do Codó. Tanto, tanto, que ele nunca mais pisou no Codó*". Iracema, herdeira de Maria Piauí, afirmou que a chegada da mãe de santo "*amansou Codó*" ao introduzir a umbanda na cidade e ao mostrar o poder dos seus tambores aos policiais que cerceavam os rituais afro-brasileiros.

Tenente Vitorino foi também invocado em um evento que me foi contado por seu Raimundinho. Quando tudo aconteceu, o mestre era jovem e estava dentro da mata, em uma "*latada*", com outros brincantes, participando de um terecô. Entre as pessoas que estavam com ele, uma mulher recebeu Légua Boji Buá. O tambor foi descoberto pela polícia, que conseguiu encontrá-los, prendendo-os e encaminhando algumas pessoas à delegacia. Entre elas, estava seu Raimundinho e também o encantado seu Légua.

> Raimundinho:[26] *Aí, tinha uma mulher que carregava o velho Légua Boji, aí, ele estava lá, quando nós fomos presos. Aí, a polícia foi, né... Aí, a metade correu pro mato. E foi um bocado preso, mais o Légua Boji. E foi tudo preso. Aí, quando chegou na Rua da Flor, chegou na quitanda, ele disse:*

---

26. Na reprodução em texto desdobro a fala de seu Raimundinho separando os personagens por ele invocados. Minha intenção é facilitar ao leitor a compreensão do episódio.

Légua: *Olha, até aqui eu vim assim né, mas depois daqui eu só vou depois que eu meter um 'golo'.*
Seu Raimundinho: *Ele tava na entrada da rua, ele disse que ele só vinha pra cá depois que ele metesse um 'golo'.*
Policial: *Não, rapaz, eu tenho que te levar preso.*
Légua: *Não, eu não tenho nada com isso, não tenho nada com isso.*
Seu Raimundinho: *Aí, botou, ele bebeu* [...]. Aí, ele disse:
Légua: *Não, eu quero é um litro.*
Seu Raimundinho: *Que o velho Légua bebe. Aí, quando nós chegamos lá na porta da cadeia, ele cantou:*
Légua: *Tenente Vitorino, eu sou homem não sou menino, no tempo da eleição eu votei pra Marcelino.*
Seu Raimundinho: *Aí, ele ficou em pé, com um revólver na cintura e com uma tábua lá na porta da cadeia* [o tenente]. *Aí, ele* [Légua] *puxou um litro de cachaça e tomou. Aí, ele disse assim:*
Légua: *Tenente Vitorino, eu já vim preso, vamos ver o que o senhor vai fazer.*
Seu Raimundinho: *Tenente Vitorino estava calado. Aí, nós entramos pra dentro, ficamos numa sala ali* [...]. *Aí, nós ficamos lá e nós estávamos com fome, com uma fome danada. Velho Légua Boji só metendo golo. Aí, demorou, demorou... O homem que nos pegou era capitão Diógenes, que ele era o capitão. Capitão Diógenes chegou e disse:*
Capitão Diógenes: *Vitorino, tu já resolveu o que tu quer com eles?*
Seu Raimundinho: *Aí, Velho Légua disse assim:*
Légua: *Capitão, me dá logo um golo, capitão.*
Capitão Diógenes: *Rapaz, tu já tá preso, tu ainda quer um golo?*
Légua: *Já estou aqui, só falta abrir a porta antes de me trancar, mas antes eu quero um golo.*

> Seu Raimundinho: *O Capitão foi buscar um litro de conhaque ao invés de cachaça. E deu pra ele. Despachou, disse:*
> Capitão Diógenes: *Vocês podem ir embora.*
> Raimundinho: *Aí ele disse:*
> Légua: *Posso ir embora Tenente?*
> Tenente Vitorino: *Pode ir embora.*
> Seu Raimundinho: *Depois disseram: 'Agora eu vi que o Légua é Légua mesmo' – foi o tenente Vitorino que disse.* [...] *Depois que saiu fora, ele* [Légua] *ainda rodou, deu assim, umas duas rodadas. Só dançou:*
> Légua: [cantando]: *Eu vim pra tenente ver, pra tenente ver, eu vim brincar no Codó, pra tenente ver* (Raimundinho, versão contada em 6 de setembro de 2011).

Embora tenente Vitorino apareça na lembrança de seu Raimundinho, seu contar é sobre o caráter irreverente de Légua, que interrompe a ação policial ao exigir um *"golo"* de cachaça no meio do caminho para a delegacia; que canta em frente à porta que "é homem e não é menino" e também mostra sua coragem na saída, quando afirma que veio à cidade *"brincar pra tenente ver"*. Nessa história – e nas que contam como os policiais se perdiam nas suas buscas ou como incorporavam entidades sem o desejarem – o que parece estar em jogo é a agência dos encantados e a força que fornecem aos seus pais de santo. Essas narrativas falam de uma ordem que é suplantada e assim garante o direito ao ritual, à dança, ao tambor em um período de perseguição policial institucionalizada.

Seu Légua, na situação narrada por seu Raimundinho, não poderia ser preso, ou melhor, não poderia ser contido dentro de uma cela. Sua habilidade de se mover sem estar conectado a um corpo (ou um tempo e um espaço) significa que ele poderia desaparecer a qualquer momento. Apesar desse elemento fugidio, ele veio para ser visto, como cantou. Enquanto as pessoas devem temer certas formas de aprisionamento, os encantados são fugazes, fugidios, transgressores – eles desenham nos movimentos. Eles ainda protegem e criam espaços de liberdade. Seu Bigobar, em uma fala que transcrevi em momento anterior, disse que na mata só entravam as pessoas que os encantados queriam – a indicando como espaço de proteção e alvedrio.

A ideia de mata – que, inclusive, nomeia este capítulo – qualifica a religião (o Tambor da Mata), os encantados (da Mata) e o ritmo do tambor (ritmo da Mata ou simplesmente Mata). É interessante notar que tais referências são compartilhadas por pessoas e entidades, quando, por exemplo, Codó e sua mata são aludidas como sendo um local de morada e de passagem dos encantados. Uma forma de perceber essas referências é observar a letra de pontos cantados nos rituais, pois eles são vistos como expressão das próprias entidades e como uma fonte importante de informações sobre quem são:

> *Lionesa? Lionesa?*
> *Lionesa? Lionesa?*
> *Cadê Lionesa? Tá no Codó.*
> *Cadê Lionesa? Tá no Codó.*
>
> *Preto Velho codoense, onde é sua morada?*
> *É na mata, é na mata.*
>
> *Aê baia, aê Codó.*
> *Aê mano, ê mano*
> *Não mata meu touro, mano meu*
> (FERRETTI, 2001a, p. 144).
>
> *Dá licença, dá licença,*
> *Eu não sou daqui, eu sou do Codó.*
> *Me dá licença que eu não posso baiá só.*
> *O meu filho, me dá licença,*
> *meu senhor me dá licença.*

Pensando nas menções feitas a Codó no âmbito do terecô, vemos que os encantados se apresentam tendo a cidade como procedência ou local onde se encontram. Lionesa – entidade da família de Légua Boji – está em Codó; o preto velho codoense tem sua morada nas matas, onde ficam os touros e os bois; os encantados da mata pedem licença para dançar em tendas de outros lugares. Além de uma referência à cidade nos pontos cantados, as denominações "*tambor da Mata*", "*ritmo da Mata*" ou "*Mata do Codó*" – nomes pelos quais o terecô é popularmente citado – falam desse espaço como fundamental para pensar a religião.

Tal como o terecô, os encantados a ele relacionados são chamados de encantados da mata, o que remete, segundo Mundicarmo Ferretti (2000a, 2001a), à sua própria mitologia. Isso porque, mesmo quando identificados por uma origem nobre (ou seja, quando considerados de famílias designadas com termos de nobreza que remetem ao tambor de mina), essas entidades entraram nas matas e as escolheram como seu local de vínculo ou de encantamento – tal como teria ocorrido com a família de Légua Boji Buá[27]. Para Supriano, entidade da família de Légua, carregado pelo pai de santo Café, os encantados (provavelmente ainda pessoas) vieram da África pelo mar, mas entraram nas matas no interior do Maranhão, passando a desempenhar atividades a elas relacionadas. Poderíamos sugerir que isso explica a associação recorrente entre o povo de Légua e os animais (como bois e cavalos) e o fato dele ser considerado, por muitas pessoas de Codó, como um valente vaqueiro. Essa relação aparece nas letras de alguns pontos cantados no terecô:

---

27. "Os caboclos da Mina têm, geralmente, um ancestral não caboclo, que os aproxima dos gentis, ou foi adotado, como filho, por algum vodum. Assim, Corre-Beirada é o filho do rei francês (D. Luís), Légua Boji, chefe de uma grande família de caboclos, é 'filho' de D. Pedro Angassu (ou Angaço) e, como este é conhecido em alguns terreiros, como Aganju, entre os cambinda aquele (Légua-Boji) é considerado príncipe ou vodum entre os 'mineiros'" (FERRETTI, 2000a, p. 87).

Seu Légua tem doze bois, na ilha do Maranhão
Vou vender minha boiada, e vou mimbora pro sertão,
Boi, boi, boi, seu Légua,
tira as tamancas do boi, seu Légua
(Ferretti, 2000a, p. 144).

É boi, boi, boi, boi
É boi, boi, dá
Eu queria ser vaqueiro pra poder procurar
Com minha vara de ferrão, com minha corda de laçar.

Apesar de seu Légua ser apresentado na cidade como um encantado velho, muitas das músicas o caracterizam com fortes marcadores de masculinidade, ressaltando suas habilidades e força, destacando sua proximidade, novamente, com os bois[28]:

Seu Légua é homem. Seu Légua é homem. É três vez homem.
Ele mata boi sem facão.

Légua Boji é homem [príncipe] *guerreiro*
É vencedor de toda batalha
A eu croei, croa, na croa que Deus me deu.

Há, por fim, outra maneira de se referir às matas e aos povoados do interior, que remete à forma como, contemporaneamente, o terecô aparece nas falas de alguns representantes do poder público simpáticos às suas práticas, ou em periódicos e informativos publicados com dados do município. Esses "discursos oficiais" sobre as religiões afro-brasileiras, que se consentem da associação da

---

28. Assunção (2010) também registra, nos depoimentos que ouviu em sua pesquisa sobre a escravidão no Maranhão, menção a Légua Boji associado ao desaparecimento de bois nas fazendas.

cidade à feitiçaria, entendem o terecô como uma manifestação cultural e folclórica de origem negra, que acontece desde o tempo da escravidão. A fama da cidade como "terra de macumbeiros" (MACHADO, 1999) é contraposta à percepção de que "os negros africanos trouxeram a sua cultura" (MACHADO, 1999, p. 186), que é vista como "exuberante, que envolve grupos musicais e de danças, bumba meu boi, umbanda, carnaval e uma religiosidade muito forte" (JORNAL É AGORA CODÓ, 2010).

A associação entre religião, cultura e tradição leva à valorização de povoados do interior como berço da religião e remete a esses locais uma ideia de origem. A apropriação da zona rural como lugar da tradição e do passado (ou do terecô tradicional da cidade) vem acompanhada do incentivo à vinda de grupos de terecô do contexto rural para o centro, para apresentações nas ruas e na praça em frente à prefeitura. O ponto que me parece especialmente problemático dessa maneira de valorização da roça, da mata ou do rural é que essas formas de falar sobre a religião como manifestação cultural original terminam por circunscrever as experiências dos terecozeiros em um padrão que remete à certa concepção de pureza. Essa abordagem surge como uma forma de restringir as formas de fazer terecô aprisionando sua multiplicidade na legitimidade de um passado purificado. Essa pretensa autenticidade é potencialmente normatizadora (ALBUQUERQUE, 2011) e termina por permitir que os terecozeiros existam "oficialmente" apenas enquanto performarem certa originalidade.

Isso acontece ao mesmo tempo que as diversas transformações, fruto da passagem do tempo – a mudança na forma de viver no campo, os deslocamentos e a grilagem das terras, as novas formas (mais sutis, mas ainda existentes) de cerceamento das religiões afro-brasileiras –, fizeram muitos mestres que tinham tendas no interior se tornarem moradores da cidade. Diferente de como se recordam pais de santo como Raimundinho Pombo Roxo e João Tavares, o espaço por excelência da realização dos rituais passa a ser a casa dos pais de santo, os salões ou tendas, e não mais as latadas dentro das matas. Há, portanto, uma transição da mata para a tenda[29] e, para entender o momento contemporâneo e sua relação com o Terecô, proponho pensar a mata ainda em outro sentido. Minha sugestão é menos vê-la como origem, passado, pureza ou local geográfico. O objetivo é percebê-la como lugar de pensamento, como um signo que carrega em torno de si diversos elementos, como a valentia das entidades, os sentidos de proteção e liberdade. Mata e tenda se aproximam e, em certo sentido, a distância entre elas se torna um efeito do movimento – de pessoas e entidades – e um questionamento das nossas formas unívocas de narrar a ocupação da terra a partir da noção de propriedade e produção (BORGES, 2014).

Tempo de roupa nova

Era corriqueiro, em campo, conversar sobre as lembranças que os terecozeiros tinham sobre o início da sua mediunidade, sobre a religião quando eram crianças, sobre a forma como ela tinha se transformado recentemente e continuava se modificando. Escrever sobre o período que passei em campo é impossível sem falar sobre a forma como as tendas eram construídas e reformadas durante esses anos, sobre a costura das roupas novas e a realização dos festejos, sobre a maneira como o comportamento dos encantados havia se alterado e sobre as mudanças que impactavam no trabalho de pais e mães de santo. Tendo como eixo a mobilidade – entre roça e cidade, entre as matas e as tendas –, parece-me importante dimensionar também a passagem do tempo e as transformações das quais o terecô participava como uma forma de movimento.

29. Com a passagem da mata para a tenda não estou sugerindo uma urbanização da religião, tal como indicou Renato Ortiz, que entende a umbanda como "impregnada desta racionalidade citadina" onde o "mundo do sagrado é uma forma de adequação ao 'estilo de vida urbano'" (1988, p. 54). As tendas como espaço dos rituais, inclusive, não é algo que marca apenas o contexto urbano, mas também as experiências com o terecô nos povoados.

Nesse sentido, na fala de muitos brincantes, o terecô contemporâneo possuía algumas diferenças do terecô "*de antigamente*". O passado era o tempo dos "*vodunsi antigos*", os encantados conhecidos há mais tempo pelas pessoas, normalmente da família de Légua Boji Buá ou de voduns do tambor de mina. Esses encantados são diversos dos mais "*novos*" (aqueles conhecidos mais recentemente), pois são considerados bravos e duros, sendo afamados por punir aqueles que não cumprem com os seus pedidos. Entende-se que eles não consideravam importante o uso de enfeites e de roupas bonitas e padronizadas, ou mesmo a exuberância das festas. Não somente não concediam atenção a esses elementos como eram contra esses investimentos e castigavam os médiuns que valorizavam esses aspectos. Na casa de Pai Aluízio, durante um festejo, tive uma conversa com duas terecozeiras de uma das tendas de Santo Antônio dos Pretos sobre o tempo no qual os encantados "*não podiam ver um brinco, ver um enfeite na cabeça, que eles arrancavam*". Querendo enfatizar a austeridade deles, as mulheres me contaram o caso de uma brincante que pintou as unhas para uma festa de tambor. Quando ela recebeu sua entidade, ela viu as unhas coloridas e ficou furiosa, removendo todo o esmalte, mas, como disseram, "*Não foi nem com bucha de aço não, foi com ponta de faca*".

Qualquer pessoa que frequente uma noite de tambor em Codó percebe uma diferença significativa entre o que vê e a postura dos vodunsi antigos. Atualmente os brincantes, especialmente nas festas, têm um apreço e um cuidado explícitos com sua aparência, e usam brincos, maquiagem, esmalte. Essa mudança é acompanhada pela transformação das roupas utilizadas, as indumentárias rituais. Em uma entrevista[30], Bita do Barão lembrou que quando iniciaram as

---

30. Como afirmou o pai de santo, em entrevista cedida em 2004, para Ananias de Caldas, Pedro Sotero, Bacco Andrade e Marcelo Pedroso: "Assim que eu processava nossos trabalhos, com muita pobreza, as roupinhas com algodãozinho mesmo riscado. Eu me lembro dos tecidos todos, era riscado, algodãozinho, lonita, tricutô, rex, tupã, o nome dos tecidos, aí da Fábrica do Sebastião Archer [referindo-se àquela que foi a maior manufatureira de algodão da cidade]".

atividades na sua tenda (fundada em 1954), os panos utilizados na confecção das roupas dos filhos de santo eram simples, de algodão, comprados na Fábrica de Tecido local. O mestre disse que a situação atual era bastante distinta e que as roupas ocupavam um espaço importante no planejamento das festas. A percepção da alteração das roupas é compartilhada pelos brincantes, que costumam dedicar muito tempo à discussão sobre o modelo e as cores, as rendas e fitas, as costuras e bordados da "*roupa nova*", confeccionada anualmente, na época do principal festejo de cada tenda.

Outro exemplo das transformações no âmbito das religiões afro-brasileiras da cidade se expressa nas alterações no espaço físico das tendas. Embora eu enfatize a construção e constante reforma das tendas no terceiro capítulo (assim como a importância da roupa nova), cabe adiantar aqui um elemento dos salões associado à transformação da religião, a feitura do piso de cerâmica. Segundo contavam pais e filhos de santo, os barracões não eram revestidos de lajotas, eles tinham chão "*de terra*". O contato com a terra era considerado importante para os terecozeiros, pois ela era vista como fonte de força dos encantados. Contudo, a grande maioria das tendas que conheci tem o chão e as paredes cobertos de lajotas e azulejos. Um caso específico que pode nos ajudar a pensar nessas transformações é uma das tendas de Santo Antônio dos Pretos dedicada ao santo homônimo, que teve, há anos, uma mãe de santo renomada, dona Ana Moreira. No período em que ela ainda vivia, o chão da tenda foi "*lajotado*". Entretanto, para garantir o contato dos brincantes com a terra, o centro do barracão permaneceu sem cobertura, sofrendo alteração anos depois, quando foi completamente coberto pelo piso de cerâmica. Mundicarmo Ferretti (2000a, 2001a) indica outra alteração no espaço físico, lembrando que muitas tendas costumavam ter guma (ou guna), um poste central raramente encontrado atualmente nas tendas em Codó.

As mudanças – das roupas, "*dos enfeites*", da arquitetura das tendas –, embora tema de diversas conversas, não eram vistas pelos terecozeiros como fundamentais para a religião. Pelo contrário, continuamente me diziam que os encantados não precisavam dessas coisas e antigamente não se contava com esses elementos. Concomitantemente, entretanto, diziam que a beleza das tendas e das roupas era uma forma de homenagear os visitantes e recebe-los bem, agregando beleza e exuberância aos festejos. Podem existir diferentes argumentos explicativos para esse incremento, por exemplo, a influência da chegada de outras religiões afro-brasileiras na cidade, conhecidas pela exuberância das roupas (como o candomblé); ou ainda por uma melhora do poder aquisitivo dos pais e filhos de santo. Trata-se menos de buscar "desvendar" essas explicações para a mudança e mais de perceber narrativas nas quais transformações são pautadas no comportamento de encantados e pessoas.

A pesquisa de campo se desenvolveu, portanto, nesse tempo das roupas novas para os santos e encantados, dos enfeites e das tendas constantemente reformadas. Embora pais e mães de santo destacassem – em suas falas e nos pontos cantados em suas tendas – a importância da cidade como berço do terecô, também faziam alterações, mudanças e invenções nas formas como faziam o terecô, a partir da relação com os seus encantados. Na cidade, no campo – e no movimento entre cidade e campo – e nas pequenas tendas nos fundos dos terrenos, suas práticas não buscavam uma pretensa autenticidade presa ao passado, mas são eram feitas e refeitas em diálogo com questões atuais e contemporâneas. Por isso, era legítimo conversar com os encantados para alterar o horário de rituais, com a intenção de evitar os momentos de maior insegurança no retorno para a casa dos brincantes; era possível agregar microfones, caixas de som e mesmo DJs às festas; era compreensível haver atendimentos pelo telefone.

Nesse contexto – no qual os terecozeiros investiam na beleza de festas e roupas; visitavam-se uns aos outros para os festejos; e anunciavam homenagens por foguetes – que, em março de 2011, um pequeno periódico da cidade[31] publicou uma matéria que produziu uma discussão sobre as formas contemporâneas de perseguição e preconceito em relação ao trabalho de pais e mães de santo. A reportagem era sobre o aparecimento Mestre Bita do Barão e de suas filhas de santo no programa Super Pop, do canal televisivo Rede TV. No programa, Bita do Barão foi aludido como "*pai de santo dos políticos*" e associado a trabalhos de magia negra e satanismo. As filhas de santo foram filmadas em um toque na tenda de Bita, apresentado como trabalho para os encantados, e Codó foi referida como a "*capital mundial da feitiçaria*".

O jornal entrevistou algumas das pessoas da cidade sobre o Programa, entre elas, um pastor da Igreja Presbiteriana. O jornalista perguntou ao pastor por que as tendas dos pais e mães de santo eram nos fundos os quintais, ao passo que os "*templos de católicos e crentes*" podiam ser vistos por qualquer um. Em Codó é recorrente que as casas sejam construídas rente às calçadas e que os salões fiquem atrás delas, contíguas às moradias ou separadas por um pátio, sendo aparentemente invisíveis aos que passam na rua. O pastor respondeu que a localização se configurava dessa forma "*Porque* [os brincantes] *são mentirosos, por isso ficam nas entocas*" (JORNAL É AGORA CODÓ, 2011). Para ele, a localização estava associada à desonestidade (eles "*mentem*"), ao ocultamento ("*se escondem*") e à imobilidade (ficam "*nas entocas*").

Das quase 300 enquetes realizadas pelo jornal, apenas 21% das pessoas entrevistadas assistiu ao Programa Super Pop, que em Codó foi transmitido somente em televisões com antena parabólica. No que lhe concerne, a matéria escrita, em virtude da fala do pastor, virou tema de conversa. Depois da reportagem, ouvi diversos pais de santo comentando os motivos que, para eles, levaram à construção das

31. O periódico se chamava É agora, Codó e a reportagem "Codó: terra da melhor água ou terra da macumba?". Em Codó é comum ouvir que quem bebe a água da cidade (por isso "melhor água") sempre a ela retorna.

tendas no fundo dos quintais. Entre as razões mencionadas, afirmaram que a proximidade entre casas e tendas era tradicional na cidade, sendo, portanto, resultado de uma herança do passado; lembraram que alguns trabalhos exigiam que o pai de santo estivesse de forma contínua perto da tenda para cuidar dos doentes e filhos; indicaram ainda a existência de obrigações que deveriam ser cumpridas nos mais variados horários; e sugeriram que as dificuldades financeiras, em alguns casos, também poderiam ser fator determinante para que as tendas fossem construídas no fundo dos terrenos das casas.

Como resposta à fala do pastor, o pai de santo Pedro organizou, com apoio da Secretaria Municipal de Cultura e Igualdade Racial, uma passeata pelas ruas da cidade. A intenção era a de que a caminhada fosse uma forma de protesto contra a situação classificada como de preconceito e intolerância religiosa. Apesar de o convite ter sido feito diretamente aos pais e mães de santo, poucos deles estiveram presentes no protesto, que seguiu acompanhado de um carro de som e de alunos de uma escola.

Os pais e mães de santo, ainda que se sentindo injustiçados, não foram à caminhada. Entre as explicações que ouvi, a mais recorrente conceituava o protesto como "*perda de tempo*" e algo que "*não levaria a nada*". Os organizadores da proposta, alguns religiosos, funcionários públicos e políticos preocupados com a questão do preconceito racial sugeriram que a não adesão era uma espécie de "*desconhecimento dos direitos*" (ou seja, as pessoas teriam vivido por tanto tempo em um cenário de opressão que tinham com receio de se posicionar publicamente). Quando ouvi essa explicação, pensei nas diversas vezes que acompanhei procissões das tendas, quando interrompiam a circulação de carros e o atendimento no comércio local; ou quando os terecozeiros podiam ser vistos carregando sacolas com indumentárias, santos, tambores e chapéus, índices das "*brincadeiras*" e das atividades da religião.

Falar sobre as tendas como mentira e ocultação – como esconderijo, como sugeriu o pastor – é não perceber as diversas presenças mobilizadas nos fundos dos terrenos na feitura dos trabalhos e das festas. Nas tendas, atrás de casa, havia um dentro e um fora – o poder e a força da Encantaria estavam dentro do salão; mas havia, igualmente, o acionamento de diversos espaços a partir da tenda: como as ruas por onde transitavam os terecozeiros no "*pagar noite*"; as lojas e supermercados onde eram feitas as compras de alimentos e de tecidos para a costura das saias e das batas utilizadas pelos filhos de santo; as casas e carros alugados para o deslocamento; e a recepção dos visitantes. O pastor foi incapaz, em sua fala, de perceber essas dimensões.

A leitura da recusa em participar na caminhada-protesto como um desconhecimento ou mesmo apatia igualmente oblitera os sentidos dados aos diversos movimentos realizados pelos brincantes – tão frequentes e importantes em outros momentos, como nas procissões, nas festas, nos cortejos e nas visitas. Ou seja, entendo que as duas formas de ver os terecozeiros nessa situação negam a possibilidade de compreender formas políticas de ação que não sejam as previstas em roteiros pré-estabelecidos pelo poder público local. Compreender a recusa à participação na caminhada-protesto como posicionamento político é "alargar o espaço de representação política de modo a fazê-lo incluir os grupos que, engajados apenas na experiência ordinária, têm suas epistemes, expectativas e sensos de justiça excluídos das esferas especializadas de argumentação" (DOS ANJOS, 2006, p. 118). Ficar em casa, sugiro, pode ser interpretado como uma forma de lembrar e garantir os sentidos pelos quais se deseja caminhar (para visitar, curar, festejar, dançar ou despedir-se dos mortos).

John Comerford (2014), analisando outro contexto etnográfico, escreve sobre formas de controle da liberdade, que são "[...] maneiras de gerir, coordenar ou governar coletividades dispersas, impelindo ou impedindo, acelerando ou retendo movimentos, trânsitos, circulações e associações" (COMERFORD, 2014, p. 133). Este capítulo, que pretendia aproximar o leitor do trabalho de campo e das pessoas com quem tenho convivido nos últimos anos, foi estruturado a partir da ideia de movimento, pensando-o como deslocamento geográfico – entre campo e cidade ou, ainda, nas idas às escondidas às matas para a realização dos rituais, as vistas às tendas em festa e o meu caminhar entre tendas para estabelecer o trabalho de campo; mas também como passagem dos anos e as transformações nas formas de fazer terecô, as configurações antigas e novas que marcam a continuidade das situações de intolerância e racismo contra as religiões afro-brasileiras.

Nos movimentos, como sugere o autor, existem formas de controle que impulsionam ou retêm trânsitos, mas também formas de resistência e busca de autonomia. Não apenas na recusa a participar no protesto sob moldes não reconhecidos, quanto na realização dos tambores quando proibidos, ou, ainda, na insistência criativa e exuberante das festas ou na dança de Légua Boji em frente à delegacia, as relações entre as pessoas e os encantados parecem indicar possibilidades de liberdade, formas de desenquadrar situações e, especialmente, de perceber as situações vividas. Mais do que descrever linearmente uma narrativa sobre a origem do terecô neste capítulo (seja sobre seu local de início ou difusão), pareceu-me oportuno indicar elementos que juntos somam à forma como os brincantes contam sua relação com os encantados e sua forma de fazer o terecô.

2. UM GUIA PARA ZELAR

Na vida vivida e contada por pais e mães de santo, eles não se encontram sozinhos. Estão acompanhados de seus familiares e de suas entidades – que participam ou compõem suas lembranças, suas casas, seus planos para o futuro e a compreensão que possuem de si mesmos. Essa companhia, costumeiramente, é sentida ainda na infância, quando os primeiros sinais da mediunidade aparecem. Ter encantado não se apresenta como uma decisão pessoal ou livre arbítrio condicionado à deliberação individual. É, antes, algo que se coloca, que se impõe, que se manifesta na vida. Essa percepção da relação entre pessoas e encantados carregada consigo, como procurarei mostrar na esteira da certa literatura (GOLDMAN, 1984; RABELO, 2014; ESPÍRITO SANTO, 2010), uma determinada noção de pessoa, e desafia certas narrativas sobre adesão ou conversão religiosa que tratam da religião como escolha em uma espécie de mercado de produtos religiosos.

Quando conversava com os brincantes sobre o terecô em suas trajetórias de vida, percebi que a maior parte deles apresentou alguma resistência à ideia de receber encantado. Nesses momentos de aproximação e manifestação deles, não foi incomum procurar pais de santo que pudessem "*tirá-los*" de seus corpos, para que não precisassem se dedicar a eles. A eficácia dos curadores era, normalmente, limitada e circunscrita à possibilidade de "*suspender as correntes*", negociando o afastamento das entidades até que o brincante fosse mais velho e pudesse assumir suas responsabilidades; ou à oferta de um trabalho para "*segurar*" as entidades, o que acontece quando alguém da família recebe e cuida delas no lugar da pessoa, por certo período (FREIRE, 2015).

Ter encantado, portanto, era de nascença (ou seja, algo com o qual se nascia, embora nem sempre algo geneticamente transmitido) e *"não é uma coisa que se decide"*, pois pode acontecer com qualquer pessoa. Raras vezes ouvi casos em que a mediunidade acontecia de outras formas, como quando era transmitida por alguma entidade, por um pai de santo, por um abatazeiro ou pelas pedras de encantaria. Nessas situações, uma pessoa que nunca incorporou pode fazê-lo pelo contato ou ação de alguns desses vetores. Certa vez o pai de santo Bigobar, durante um festejo em sua casa no povoado de Santo Antônio dos Pretos, passou por mim e disse: *"se eu fosse igual meu pai, eu colocaria um encantado em sua cabeça"*. De maneira geral, durante o meu campo, as pessoas percebiam que eu não tinha mediunidade, e essa foi uma das poucas vezes que ouvi sobre a possibilidade de receber alguma entidade.

A mediunidade habitualmente surge na vida de uma pessoa por meio de aflições diversas, classificadas como loucura, visão, angústia, cegueira, perda do controle do corpo e da mente. Teresinha, mãe de santo de mais 70 anos, recebeu encantado pela primeira vez aos sete, em uma plantação de algodão no interior de Codó. Ninguém de sua casa carregava entidade, por isso seus familiares não sabiam o que fazer com ela. Foi um conhecido que sugeriu à família que as situações por ela vividas poderiam ser resolvidas por um pai de santo. Teresinha foi encaminhada a um terecô específico, mas não pôde ser ajudada, porque a entidade que recebia não foi reconhecida no local. Entre aflições e visões, ela foi crescendo e deixando a encantaria em segundo plano. Suas manifestações, entretanto, pioraram depois do seu casamento, quando foi levada, por uma amiga, para uma consulta médica em São Luís. A médica que a atendeu percebeu que seu problema não poderia ser resolvido pela medicina e a encaminhou para um terreiro na capital. Teresinha ficou um mês sendo acompanhada no local, *"sem pagar nem uma vela"*, até que pôde ir para casa, com um conjunto de compromissos que então possuía com seus encantados.

A trajetória de Teresinha se assemelha a de Luiza e de Bita do Barão, que também apresentaram mediunidade em contextos de desconhecimento familiar sobre a Encantaria. Isso fez com que suas experiências não pudessem ser narradas, inicialmente, partir da compreensão e do léxico religioso. Luiza dizia que onde vivia quando criança: "*Não tinha essas coisas de espiritismo* [...] não dava para dizer que eu via menino, não tinha isso". Em virtude disso, ela era interpretada como uma criança mal-educada e travessa, pois ficava brincando com os encantados e não cumpria as regras dadas por sua mãe de criação (sua avó). Depois do seu casamento, com 14 anos, os sinais das entidades ficaram ainda mais fortes e a possibilidade de não compreenderem suas atitudes era ainda mais evidente, pois os encantados que antes vinham para brincar, agora a faziam sumir durante dias, "*correndo louca*" dentro das matas na zona rural onde residia. A intervenção das entidades era algo de foro coletivo e social: se mostrava publicamente e afetava seu casamento, na medida em que atrapalhava o cumprimento do que eram consideradas suas obrigações como esposa. Falando sobre as manifestações dos seus encantados e as interpretações do marido Manuel, Luiza me disse:

> *Por dentro da realidade, ele foi um homem exemplar. Porque homem para aguentar o que o Manu aguentou, e, dizer assim, não largar, é muito bom. Olha, Martina, era trabalhador. E eu ficava com os meninos, para levar o que comer. Se daqui a pouco chegava uma pessoa lá, ao meio-dia, dizia que não tem nada feito* [...]. *Aí ele voltava com aqueles trabalhadores, aí voltava, para me caçar pros mato para ver onde me achava, porque às vezes ele ficava quinze dias sem ter uma pequena notícia de mim* [...] *podiam achar que era sem vergonhice, mas ele nunca pensou nisso* (Luiza, em 03 de outubro de 2011).

A impossibilidade de estabelecer uma narrativa, em virtude do desconhecimento da Encantaria, também aparece em uma fala do pai de santo Mestre Bita do Barão em relação à sua infância. Em uma entrevista sobre sua trajetória, ele disse: "*No início, quando eu era criança, não sabia nada disso, eu não podia nem ter medo. Porque não sabia, não tinha nem ouvido falar nisso*"[32]. A incapacidade de compreender e contar sobre o terecô e os encantados trouxe dificuldades ao relacionamento familiar, uma vez que, enquanto sua mãe procurou formas diversas para o auxiliar, o pai interpretou a mediunidade como algo contra ou antirreligioso. Maria dos Santos contou-me da reação das pessoas de sua família quando ela apresentou os primeiros sinais da mediunidade. Na época, ela tinha 10 anos e fazia trabalho doméstico no centro de Codó. Era uma noite de aniversário na casa e chovia muito. Ela carregava pratos na varanda quando foi tomada por seu encantado, que a jogou na chuva e a fez rolar pelo chão do pátio. Os donos da casa mandaram chamar sua mãe, que não sabia interpretar o que tinha lhe acontecido. Um ano depois, Maria dos Santos desapareceu durante a noite e foi encontrada por seu irmão, dançando em uma tenda.

> [...] *meu irmão ficou ali na estação do trem, diz que era mato por ali. Ele escutou, pim, pim, pim, pim, pim* [som do tambor], *procurou mais pra lá, nunca andou pra aí. Ele ficou com aquilo, chegou em casa, mas diz que sempre escutava aquele tambor assim... Aí ele chegou pra lá e encontrou. Diz que eu era a mais pequena no meio. Dançando, dançando. Aí ele quis assim, um tipo de ignorância, quis me arrancar de dentro de lá, mas o pessoal não deixou. E quem estava comigo* [a entidade] *disse "eu vou na hora que eu quiser, o*

32. Esta fala de Bita do Barão está na entrevista que citei no capítulo anterior e foi realizada por Ananias de Caldas, Pedro Sotero, Bacco Andrade e Marcelo Pedroso, em 2004.

senhor não me manda. A menina é minha, quem manda nela sou eu" (Maria dos Santos, em 10 de agosto de 2011).

Ter sinais de mediunidade em uma família que não possui pessoas que conheçam o terecô sempre guarda a possibilidade de uma má interpretação, como a "*ignorância*" a que se refere Maria dos Santos em relação ao irmão, no trecho transcrito. Tais situações implicaram leituras diversas sobre seus comportamentos e aflições. De forma recorrente, os sinais dos encantados eram vistos como doença (como no caso de Teresinha, quando vai ao médico) e má criação (no caso de Luiza). Nessas histórias, o desconhecimento em relação às entidades trouxe à cena outras pessoas que, tendo visto ou vivido "*problemas com encantados*", estavam aptas a diagnosticar o que viam e a encaminhar os futuros brincantes aos cuidados de um mestre. Essas interpretações eram potencializadas em situações nas quais os encantados causavam embaraço aos terecozeiros, algo muito constante no início do desenvolvimento da mediunidade. Nesse período, as pessoas podem aparecer em giras sem saber como se deslocaram para o local (como Maria dos Santos), as incorporações se apresentam mais intensas e violentas (porque o [des]controle do corpo se instaura) e as roupas podem ser arrancadas pelos encantados. Quando isso acontece, as pessoas ganham toalhas amaradas em suas cinturas ou saias e são colocadas dentro da gira, para "*baiar*".

Mesmo quando a família não conhecia a Encantaria, havia casos em que seus membros figuravam nas situações de busca de auxílio para alívio de aflições, como a mãe de Bita do Barão. Seu Raimundinho Pombo Roxo me contou que sua mãe, mesmo não sabendo interpretar o que lhe acontecia, procurou diferentes alternativas para seu cuidado e isso foi, em suas palavras, "*lutar por mim, caçar gente para toda aquela luta*". Como Raimundinho, outros pais de santo mencionavam a companhia de suas mães e seus pais, avós e cônjuges na "*luta*" para a melhoria das sensações que viviam e na procura de suas possíveis soluções.

Ao que me parece, a percepção da presença das entidades era diferente quando alguém apresentava sinais de mediunidade em casas onde se convivia com brincantes. Também nesses casos, as aflições sobre a saúde física e mental existiam. Café, pai de santo da Tenda São Cipriano, lembrava-se dos primeiros sinais de mediunidade aos 7 anos, por meio de pesadelos. As manifestações foram interpretadas por um caboclo recebido por sua mãe como sendo sinal da presença das entidades, que eram de nascença. Sabendo do diagnóstico do caboclo, sua mãe o levou para um *"cientista"* para confirmar o veredito e, aos 10 anos, ele já brincava em uma tenda. Quando completou 14, começou a trabalhar com os encantados.

Seu João Tavares também tinha experiências com o terecô em sua própria família. Como mencionei no primeiro capítulo, o pai de santo acompanhava a avó em rituais realizados na mata desde criança. Dona Maria Pretinha era afamada entre os terecozeiros como a *"rainha de Codó"*, devido aos prognósticos certeiros que realizava. Uma de suas previsões foi a de que seu João desenvolveria sua mediunidade e iria assumir a responsabilidade de se tornar pai de santo. Ele, em uma conversa que tivemos, reconheceu que tentou adiar ao máximo essa decisão, pois sabia que a vida de um pai ou mãe de santo é de extrema dedicação aos encantados.

Seu João se eximiu da função de chefia de tenda até os 50 anos, quando se sentiu muito doente. Para saber o que acontecia com sua saúde, enviou uma camisa para uma consulta com uma mãe de santo de São Luís, onde morava. Ela respondeu que sua doença era um sinal de que não poderia mais fugir da profecia de sua avó. Nesse mesmo período, Maria Pretinha, com 106 anos, faleceu. Antes de morrer, disse ao neto:

> [...] *meus dias estão chegando, não se assusta, não chora, que é normal todo mundo chora, mas está chegando a sua responsabilidade, a partir de agora você vai tomar de conta dessas coisas. Eu não aguento mais, já segurei até agora,*

daqui em diante é você... Seja honesto. Se você chegar a trabalhar, e vai, porque Jesus vai ajudar, seus encantados sejam honestos, a palavra é sim ou não, "'eu João você pode me fazer isso?". "Sim". "Você pode me fazer isso?". "Não" (João Tavares, em 03 de setembro de 2011).

Nas histórias por mim conhecidas, os diferentes diagnósticos – que incluem uma multiplicidade de agentes – conduzem ao veredito *"problema com encantado"*. Possuir mediunidade ou, nas palavras da avó de João Tavares, *Tomar conta dessas coisas*, é algo trabalhoso, que exige dedicação e compromisso, e que transforma a vida de uma pessoa. Dois pontos são importantes aqui, por um lado, é crucial reconhecer que, nesse contexto e no âmbito da pesquisa por mim realizada, não cabe falar sobre a experiência com o terecô como uma opção de consumo, como se a religião fosse escolhida entre outras possibilidades de oferta, tal como preconiza para outros cenários alguma literatura sobre religião (PRANDI, 2004). Por outro lado, cabe certo cuidado, como lembra Rabelo (2014), para que a presença das entidades não seja lida como ausência da liberdade ou de qualquer escolha, como passividade ou resignação – é preciso, portanto, olhar com certo escrutínio para a concepção de pessoa presente aqui.

Uma importante bibliografia da antropologia que trata das religiões afro-brasileiras ou de matriz africana discute a noção de pessoa nelas encontrada (Goldman (1984) e Flaksman (2016a), por exemplo). O tema reaparece em diversas outras pesquisas (clássicas e contemporâneas) que tratam de contextos etnográficos em que a relação com espíritos e seres diversos se coloca (ESPÍRITO SANTO, 2010; BLANES; ESPÍRITO SANTO, 2014). No terecô, a definição padrão de indivíduo (Ocidental) – autônomo, único, detentor absoluto do seu destino, com fronteiras corporais demarcadas e separadas de outros seres (JOHNSON, 2014; TROUILLOT, 2011) – não é suficiente para análise. Como sugere Diana Espírito

Santo (2010), a ideia de uma pessoa relacional e não substantiva, marcada por participações, fornece-nos uma chave interessante para pensar a vinculação entre pessoas e entidades (STRATHERN, 2006; ESPÍRITO SANTO, 2010) e ilumina parte importante daquilo visto, sentido e vivido em campo.

As heranças de um terecozeiro

Das múltiplas associações entre pessoas e encantados que marcam as trajetórias pessoais e familiares em Codó, a de Pedro sempre chamou minha atenção. Pedro tinha 34 anos quando nos conhecemos e voltou a viver em Codó, sua cidade natal, após residir em locais como Teresina, Recife, São Luís e Fortaleza. Ele nasceu em uma família que conhecia muito bem *"essas coisas de espiritismo e de encantoria"* (como costumava se referir Luiza), pois seu avô, seu Gili, era notório conhecedor do terecô e visto por alguns como um dos *"grandes feiticeiros do passado"*. De Santo Antônio dos Pretos, ele teria mudado para a cidade de Codó, onde foi padrinho da Tenda Santo Antônio, de Maria Piauí e da Tenda Santa Bárbara, de Maria dos Santos, além de ser assíduo em outros barracões da cidade.

Os encantados sempre fizeram parte das histórias de Pedro e o acompanhavam desde que nasceu. Segundo me contou, o seu parto foi feito por Chica Baiana, encantada do seu avô, *em cima* dele – ou seja, nele incorporada[33]. Depois da morte de seu Gili, ela continuou na família, sendo recebida por Pedro e se apresentando como sua *"chefe de croa"* (ou seja, sua encantada mais importante).

---

33. Como o caso de Chica Baiana na família de Pedro, em Codó existem encantados que têm como especialidade fazer partos. Durante o campo, conheci outras histórias semelhantes, como a de dona Concita, em Santo Antônio dos Pretos, cujo encantado já fez mais de 35 partos; ou o nascimento do pai de santo Zé Willan, "pego" no nascimento por um encantado parteiro em uma noite de tambor.

> *Dona Chica Baiana está na vida da minha família há muitos anos. Acho que mais de cem anos. Desde minha bisavó, mãe do meu avô, que chamava de Catita e que morreu com noventa e oito anos. Mas, quando morreu ela já tinha preparado meu avô para cuidar da missão dela na terra. E quando eu tinha sete anos meu avô me preparou, mas acho que dona Chica Baiana me acompanha desde o ventre da minha mãe, porque quando eu nasci, a parteira que me pegou foi dona Chica Baiana, incorporada em meu avô* (Pedro, em 24 de setembro de 2011).

Apesar de receber Chica Baiana como uma herança de seu avô e de sua família ter grande proximidade com os encantados, nem sempre o pai de santo aceitou seu "*dom de nascença*". Os primeiros sinais de mediunidade foram por ele sentidos em sua infância, quando via diversas coisas que o assustavam, faziam-no gritar e chorar. Pedro foi acompanhado pelo avô a partir dos 7 anos, quando, junto a um primo (imagino que também médium), passou a residir e ser criado na casa de seu Gili. Os dois meninos conviveram com a familiaridade com que o avô se relacionava com as tendas e as brincadeiras, e Pedro se lembra de ouvir quando ele, depois de colocá-los para dormir, saía para dançar terecô. Recorda-se, ainda, de o seguir, atrás do som dos tambores, para assistir aos toques e às giras. Nesse período as crianças não podiam dançar nos salões (mesmo na pesquisa foi raro encontrar alguma criança envolvida em um ritual) e Pedro se lembra de ser reprimido pelos encantados do avô que acreditavam que ele era muito novo para estar em uma tenda. Outros deles, porém, logo percebiam sua mediunidade, enrolavam-no em suas saias e o levavam para dentro do salão.

Seu Gili faleceu quando Pedro tinha 9 anos, e este, aos 10, já trabalhava com os encantados, cuidando de pessoas da família. Ele é um dos casos – existem outros na cidade, como Mestre Bita do Barão, por exemplo – de pessoas que não foram feitas ou preparadas por nenhum pai de santo. Como me contou, ele foi apenas "*zelado*" (acompanhado) por uma pessoa de mais tempo na religião, "*porque já vem toda uma preparação de fundo*"[34]. Por isso ele se refere à Chica Baiana, encantada herdada do avô, como sua mãe de santo. Pedro afirma ainda que "*tem os fundamentos*" do candomblé, que lhe foram transmitidos por Maria Padilha, uma pombagira que recebe há alguns anos, mesmo sem ter passado pelo ritual de feitura nessa religião.

Quando conheci Pedro, ele morava com a mãe, a irmã e quatro sobrinhos. No nascimento do último deles, acompanhei a ação de Chica Baiana que, durante toda a gravidez, esteve rezando, benzendo e tratando com remédios a barriga da irmã do pai de santo. Segundo a própria encantada, era ela quem estava "*segurando*" a gravidez. Nós sabíamos dos riscos da gestação e do cuidado de dona Chica, mas a irmã de Pedro, apesar de sentir sua presença, não conhecia o motivo de suas visitas[35]. As pessoas da família do pai de santo que foram para a maternidade no dia do parto viram a entidade – vestida de branco e de lenço na cabeça – entrar no espaço hospitalar e acompanhar todo o nascimento da criança. Ela estava presente em espírito e não incorporada, como me explicaram. Provavelmente em razão do envolvimento intergeracional dos encantados e da família de Pedro, em sua casa existem várias apostas para identificar qual dos seus sobrinhos apresentará sinais de mediunidade e será seu

---

34. Embora o terecô seja percebido como um dom de nascença, as pessoas devem ser preparadas para se relacionar com seus encantados. São raros os casos de pessoas cuja mediunidade pode ser apenas acompanhada por outro mestre, como o caso de Pedro e Mestre Bita. Para a discussão sobre a relação entre dom, sangue e ritual em outras religiões afro-brasileiras, ver Sansi (2009) e Goldman (2012).

35. A irmã de Pedro conversou comigo sobre a gestação e a presença de Chica Baiana. Na ocasião, ela me disse que: "Durante a gravidez eu sempre via ela. À noite, eu dormindo, eu sentia ela, eu via ela. Eu perguntava para mamãe porque dona Chica me visitava tanto à noite [...] eu não sabia o porquê. Era porque eu tava correndo risco de vida e o meu nenê também. Quando eu entrei na sala de parto eu não tava tendo força, eu chamei em primeiro lugar por Deus e chamava por ela também [...]" (Eliane, em 24 de setembro de 2011).

herdeiro na religião. Segundo o pai de santo, dona Chica "*já está escolhendo o que ela vai preparar para continuar na missão dela quando eu partir desse mundo para o outro*".

Como na história de Pedro, "*ser pego*" ou "*tomado pelos encantados*" não eram palavras para descrever a ingerência e a agência dos encantados na vida dos terecozeiros, mas também de suas famílias. Isso não é, evidentemente, exclusivo do terecô. Analisando especialmente a relação das pombagiras com os maridos das mulheres nas quais incorporavam, Capone (2009) registrou que "[...] o médium, embora se submeta à vontade dos espíritos, também impõe essa vontade aos que o cercam" (CAPONE, 2009, p. 191). Em sentido semelhante, Veronique Boyer-Araújo (1993) mostrou como o matrimônio e a família são impactados pelas relações estabelecidas entre a pessoa e suas entidades, indicando como, para além de uma relação individual, a mediunidade fala de uma experiência coletiva.

Situações em que é possível perceber a relação entre pessoas, suas famílias e as entidades são bastante comuns no contar dos terecozeiros, como busquei mostrar no momento das primeiras manifestações de mediunidade e também quando trouxe elementos da vida de Pedro. Partos, cuidados na gravidez, apadrinhamento e heranças – entre outros elementos – aparecem nas trajetórias dos terecozeiros e falam sobre a relação com os encantados e com seus familiares. Na casa de Pedro, vemos que Chica Baiana perpassa gerações, mantendo sua relação com sua família desde sua bisavó. A encantada poderia ser pensada como uma herança – como algo que se recebe das gerações anteriores. A herança, como pontua Rabelo para o caso do Candomblé nagô em Salvador, carrega tanto a ideia de uma dívida contraída com a entidade quanto a perspectiva do cuidado. Dessa forma, existe a "formulação de que a afinidade com o candomblé e com os orixás não é simplesmente uma característica da pessoa singular, mas um traço de sua família que a distingue e singulariza enquanto portadora de uma obrigação herdada" (RABELO,

2008a, p. 56). Assim, como indicarei no capítulo seguinte, também podem ser compreendidos alguns festejos e rezas que são recebidos pelas novas gerações quando do falecimento de um familiar.

A ideia de herança chama atenção para a forma como as entidades impactam nas relações de parentesco. Miriam Rabelo sugere que as entidades têm a capacidade de evidenciar ou obviar vínculos do âmbito da família. Pedro, por exemplo, conecta-se diretamente a seu Gili e à sua bisavó, que antes carregavam dona Chica Baiana. Dessa forma, "as entidades não apenas adensam relações que já são fortes, como marcam positivamente vínculos cuja importância cambia ao longo da história de vida ou que estão em tensão com outros laços igualmente significativos para os sujeitos" (RABELO, 2008a, p. 193). Elas também consolidam preferências nas redes de aliança.

Além disso, os encantados também agem sobre a constituição da família e podem ser vistos como propulsores da inclusão de novas pessoas entre os parentes. Pedro, em uma conversa que tivemos, proferiu um agradecimento aos encantados que recebia, não apenas por cuidarem dele, mas de todos "*aqueles que fazem parte da casa, que chega como cliente, mas termina fazendo parte da família*". Sua irmã tinha me dito algo semelhante havia pouco tempo, ao me contar que Chica Baiana, por meio dos atendimentos, possibilitava a convivência intensa de alguns clientes com a família do pai de santo – convivência que os fazia continuar frequentando a casa depois de encerrarem seus tratamentos. Sua presença e companhia, bem como o auxílio que prestavam às tendas, tornava-os parte da família.

Os encantados também podem ser "*tomados*" pelos terecozeiros em suas redes de parentesco – não a partir de um termo que os designa, relacionado a uma posição em uma genealogia, mas se tornando centrais em narrativas sobre momentos importantes das trajetórias familiares, como os partos, os casamentos, os batizados (quando se tornam compadres e comadres de pessoas) e as situações de morte. A história de Zé Willan e Regina, que ouvi em Morada

Nova – povoado de Lima Campos, município vizinho a Codó – tinha os encantados e os festejos de santo como elementos fundamentais. Ambos possuíam, em suas famílias de origem, pessoas com mediunidade que dançavam terecô em Codó, onde viviam anteriormente. A mãe de Regina teve problemas com sua gestação, e um médico antecipou os riscos de morte da mãe e da criança. A avó materna, chorando por causa do prognóstico, encontrou o encantado Coli Maneiro, irmão de Légua Boji ("*em cima*" de um cavalo antigo e muito conhecido, hoje falecido), em uma festa de tambor na casa de Antoninha. Segundo conta Regina, Coli conversou com sua avó:

> *Aí seu Coli disse pra ela* [a avó], *que ela* [a mãe] *não ia morrer, que eu ia nascer e que eu ia ser dele. Assim a mamãe conta que eu ia ser dele. Aí eu acredito que eu ia ser mesmo, porque o mundo dá muitas voltas, que hoje eu estou aqui, cuidando dele* [...] *Mas quem ajeitou tudo, quem fez todo o processo para que eu nascesse foi ele* (Regina, em 25 de setembro de 2011).

Correu tudo bem no parto da mãe de Regina e ela cresceu sem apresentar sinais de mediunidade, participando dos festejos de tambor apenas nos dias em que havia baile dançante. Seu pai e sua mãe, contudo, dançavam e cozinhavam em uma tenda que tinha um tamborzeiro muito afamado, conhecido como Zé Willan. Em 1992, impressionada com as falas sobre a notoriedade do tamborzeiro, Regina acompanhou os pais no festejo, para ver de quem se tratava. Quatro anos depois os dois estavam casados.

Seu Zé Willan nasceu em meio a um festejo de santo, em um parto feito por encantados. Ele recebeu como herança o guia de seu pai, Coli Maneiro – o mesmo que cuidou do nascimento de Regina e que havia dito para sua avó que a neta viveria e "*seria dele*", pois estava destinada a lhe cuidar no futuro. Como se casou com um pai de santo que recebe o encantado, Regina acreditava que seu casamento era resultado da trama entre pessoas e entidades. Essa trama pode ser aproximada à ideia de "enredo" presente no trabalho de Flaksman (2016a) sobre o candomblé em Salvador. Para a autora, o enredo indica um complexo de relações entre humanos e orixás que é, ele mesmo, constitutivo das pessoas e das suas vivências familiares. Ele evidencia a inexistência do acaso e a agência das entidades no desenvolvimento dos caminhos pelos quais a vida segue. Como um enredo que foi se mostrando, anos depois, Regina também manifestou mediunidade e passou a receber o encantado de sua mãe, Ricardo Légua. Ricardo é filho de Légua Boji e, portanto, sobrinho de Coli Maneiro.

Preparação

Depois dos primeiros sinais de mediunidade (visões e aflições), os brincantes precisam conhecer melhor seus encantados, aprender a controlar seu corpo quando chegam e quando partem. Esse desenvolvimento é processual e se desdobra no tempo (RABELO, 2008b). A relação com os encantados envolve a aproximação com uma tenda, na qual acontece a "*preparação*" e a "*confirmação de croa*" do filho de santo. Como o terecô foi, algumas vezes, comparado ao tambor de Mina de São Luís, especialmente com a Casa das Minas onde a iniciação foi vista como extremamente complexa e de certa forma "seletiva"[36] (COSTA EDUARDO, 1948 *apud* BASTIDE, 1971), o ingresso nas tendas de Codó foi percebido como pouco sofisticado e simples, e sobre ele se produziu pouca informação.

O termo utilizado em Codó para falar sobre o início da trajetória em uma tenda é preparação, e não iniciação, termo mais comum

36. Segundo Sérgio Ferretti (1996), na Casa das Minas havia diferentes momentos da iniciação. A sequência de cerimônias culminava no ritual de feitura das "tobóssis" (meninas), quando uma dançante seria uma "mãe completa" (uma "vodúnsi-gonjaí"). A iniciação completa foi feita, pela última vez, em 1914.

e utilizado em outras religiões afro-brasileiras. Os pais e as mães de santo com os quais convivi não passaram por uma forma idêntica de *preparação*, assim como não existia apenas uma maneira de preparar um filho de santo em suas casas. Uma importante diferença é que os mestres foram preparados em tendas que se definiam de gêneros religiosos diversos – como sendo umbandistas, mineiras, terecozeiras ou candomblecistas. A grande maioria dos pais de santo da cidade era *"feita"* na Mata, ou seja, tinha como primeira experiência o terecô. Algumas vezes, utilizavam umbanda como um sinônimo e também faziam referências ao tambor de Mina, especialmente quando foram cuidados por pais de santo de São Luís. Alguns mestres, como seu João Tavares, Beata, Café e Bita do Barão, também fizeram iniciação no candomblé, porque apresentaram, em determinados momentos de sua vida, necessidade de desenvolver entidades com as quais não trabalhavam anteriormente e que foram identificadas como do candomblé.

Durante a vida de um pai ou mãe de santo, portanto, é possível que ele(a) tenha sido preparado(a) apenas uma vez ou que tenha passado por diferentes iniciações (fenômeno indicado como *"troca de nação"* em outros contextos no Brasil, ver, por exemplo, BARBOSA NETO, 2012) sem, contudo, precisar abrir mão das entidades ou linhas com as quais já trabalhava. Na casa de Beata havia *"nações"* (como ela as definia) diferentes e cada uma delas exigiu que ela passasse por uma preparação diversa, composta por uma *"obrigação"*. Cada obrigação que cumpriu teve relação com uma entidade com quem continuava em contato por meio dos festejos anuais realizados por sua casa.

> *Na minha casa são três nações, mina, mata e candomblé. A última obrigação que eu dei foi no candomblé. Aí eu dei a obrigação primeiro na mina, para Iemanjá, e dentro da obrigação da mata, um caboclo que se chama Touro de Mina. Ele é da praia do Lençol. E a última obrigação que eu dei aqui,*

foi pra Xangô e Iansã. Aí a festa é São Pedro, e a de Iemanjá é a Nossa Senhora das Candeias e de Iansã é Santa Bárbara (Mãe Beata, em 07 de setembro de 2011).

Escutando os mestres sobre seu processo de aproximação com as religiões afro-brasileiras, percebi que as variações nas maneiras com que foram preparados tinha um traço em comum: a convivência com um zelador ou com um pai de santo experiente. Em alguns casos, esse convívio aconteceu em um salão já conhecido pela pessoa ou por sua família. Em outros, entretanto, o contato aconteceu por uma indicação ou sugestão – como com Teresinha. São Luís, Lima Campos, Caxias e povoados do interior de Codó, além da própria cidade, foram mencionados pelos pais de santo como locais para onde foram levados por seus familiares ou por conhecidos, para sua preparação.

Os chefes das tendas que preparam os neófitos passam a ser vistos como seus pais e mães de santo. Mesmo que os ingressantes se tornem também mestres e tenham seus próprios salões, eles continuam mantendo relações com a casa onde passaram certo período sendo preparados. Esse tempo pode ser intenso e curto – quando, por exemplo, mora-se na tenda durante semanas ou meses – ou pode ser longo, quando se frequenta o espaço em visitas semanais durante anos. Seu Zé Preto morava em Caxias quando começou a frequentar a tenda do afamado pai de santo José Bruno de Morais, em uma localidade no interior do município vizinho. Como se recorda, ele nunca chegou a morar no povoado do mestre, mas se deslocava, junto ao irmão que também estava "*doente*", quinzenalmente, para Nazaré do Bruno, com a intenção de cumprir suas obrigações e dançar tambor.

O período de duração da preparação é determinado pelos encantados do neófito e pelos ditames das entidades do pai de santo da casa. Café, no primeiro barracão onde foi preparado, passou três anos apenas fazendo obrigações, sem poder participar dos rituais de tambor. Em outros casos, pode-se brincar na casa durante o processo de ingresso na religião, o que indica uma multiplicidade de maneiras de pensar a preparação, uma vez que, como me disse Pai Aluízio, *"cada pessoa vai ter um caminho"*:

> *É quando você recebe o santo. Quando você se aproxima de uma casa para se desenvolver, logo você se desenvolve. Porque cada pessoa vai ter um caminho. É como uma escola. Você entra em uma escola e às vezes você tem a tendência de ser rápido em tudo e para outros, às vezes, tem partes mais complicadas* (Mestre Aluízio, em 28 de agosto de 2011).

Cabe ao pai ou à mãe de santo fazer consultas aos encantados para saber quais serão recebidos pelo filho de santo, quais atividades podem ser feitas por ele e quando é o momento da *"confirmação da croa"* – ou seja, quando se fixa o principal encantado na cabeça. Entre a chegada a uma tenda e a confirmação da croa, o futuro filho de santo deve realizar diversas obrigações, manter tabus, passar por banhos de purificação, entre outras atividades e normativas dadas pelas entidades. Ainda que esse período de preparação contasse com a participação do pai de santo, entendia-se que o aprendizado[37] vinha diretamente dos encantados. Quando seu Zé Preto me contava parte de sua trajetória, perguntei se tinha aprendido muita coisa com seu mestre, quando ele respondeu:

---

37. Na leitura de algumas obras da bibliografia sobre religiões afro-brasileiras, o processo de aprendizado que marca a vida de pais e filhos de santo aparece como sendo um processo lento, progressivo – como um ato de catar folhas, como afirma Goldman sobre o candomblé em Ilhéus (1984). Para o caso do candomblé nagô em Salvador, afirma Elbein dos Santos (1977): "Já dissemos que a aquisição de conhecimentos é uma experiência progressiva, iniciática, possibilitada pela absorção e pelo desenvolvimento de qualidades e de poderes" (ELBEIN DOS SANTOS, 1977, p. 21). Maria Amália Barretto (1977) mostra que na Casa das Minas, em São Luís, mesmo as dançantes iniciadas não conheciam todos os "segredos do culto": "há graus de conhecimento, gradativos e lentos, que implicam em uma demorada escalada para se apoderar de todos eles" (BARRETTO, 1977, p. 95).

> [Ele] *Não me ensinou nada. Ele só fez assim, preparou nós, quando chegou um dia ele mandou cada um de nós chamar o nosso guia, depois que chegou e baixou ele disse: "Agora, seu Zé, você vai se virar com os seus guias, você vai cuidar dos seus guias... Você vai zelar por ele, nem pra mim, nem pra ninguém". Então, se nós sabemos um pouquinho, é os nossos guias que dão tudo* (Zé Preto, em 28 de agosto de 2011).

Os encantados – tanto os recebidos pelo pai de santo quanto os novos *guias* incorporados pelos filhos de santo – têm participação importante na forma com que a preparação acontece. Eles são as figuras principais do processo de aprendizado, em detrimento da ação das pessoas. Como são diversos entre si, a forma com que se dá a iniciação de cada pessoa é distinta. Para perceber a diversidade ou a multiplicidade nas formas de aproximação com os encantados e com as tendas, também perguntei aos mestres como eles recebiam em suas casas novos filhos de santo. Trago, na sequência do texto, três relatos relativos às maneiras de preparação, compreendendo-as não como tipos ideias ou formas padrão, mas como possibilidades de ser recebido em um salão. Em primeiro lugar, apresento uma passagem de um dos diários que escrevi em campo, quando Iracema me contou algumas características da preparação na Tenda Espírita de Umbanda Santo Antônio.

> *Iracema me diz que faz como ela aprendeu. Que não sabe como é feito em outros salões da cidade. Ali são nove dias dormindo no chão da tenda, um dia em que ela trabalha, pede para jejuar por três dias. Diz que a pessoa fica sempre acompanhada de alguém, porque pode ficar com medo, já* que os encantados "querem lhe visitar". Nesse período, *a pessoa não pode comer arroz, nem porco, nem gado, só verdura (fala em tomate e em cheiro verde), dendê e farinha branca. Não pode colocar sal em nada. Pode comer peixe,*

> *mas não surubim e coroatá, pode comer frango. A vela fica acessa nove dias, o tempo todo, sempre rezando e pedindo a Deus. Não pode tomar café, só chá* (Diário de campo, em 03 de julho de 2011).

Também conversei com seu Raimundinho Pombo Roxo sobre o que ele fazia quando alguém novo procurava sua tenda para se tornar filho de santo. Em sua resposta, ele fez uma diferenciação entre aqueles já eram terecozeiros em algum barracão e pessoas que estavam iniciando na religião. No primeiro caso, o filho de santo participava de três reuniões na casa, podendo participar dos rituais em seguida. Durante esse período, seu Raimundinho averiguava por que a pessoa saiu do local onde brincava, para saber se houve algum conflito ou atrito que levou à mobilidade. Quando a pessoa era neófita no terecô, ela também precisava participar das reuniões e ficava, durante seis meses, cumprindo as obrigações dadas pelo pai de santo que acompanhava seu desenvolvimento por meio de consultas aos encantados e de "*experiências*" (escreverei sobre as elas no quarto capítulo).

Pai Aluízio Mota me disse que, para a entrada de um novo filho de santo em sua tenda, ele precisava de determinados elementos que compunham a feitura, entre eles frango, bebida e pimenta do reino. As comidas não podiam levar sal, dessa forma, "*só coisas doces*" tinham espaço no momento ritual. A pessoa passava três dias isolada em um local chamado *camareiro*, onde existia uma esteira e um travesseiro feito de uma sacola de folhas. No momento da confirmação da croa algumas entidades se apresentavam:

> *Então quando você deita e vai começar a fazer a obrigação, aí vai aparecendo os santos. Esse que você só dançava com ele, ele já fica de guarda, esperando, cuidando você. Aquele orixá fica de guarda esperando um convite dos outros, que vão vir* (Aluízio, em 26 de setembro de 2011).

Nessas três passagens ficam evidentes as diferenças na preparação dos filhos de santo. As escolhas eram dadas pelos encantados, que definiam, por exemplo, a necessidade de ficar na tenda, a quantidade de dias que é preciso nela permanecer, a existência de oferendas, a possibilidade de dançar nas giras durante esse período e a realização das obrigações. A relação entre a própria trajetória e a forma com que cada pai de santo também surgiu como uma variável, uma vez que, como afirmou Iracema, cada pai de santo "*faz como aprendeu*". Diante da diversidade das formas com as quais se foi feito (em virtude da quantidade de seres, linhas, nações e correntes que podem se manifestar em uma pessoa), colocavam-se formas diferentes de preparar alguém. Tudo dependia de "*cada caso*", que era acompanhado pelos mestres e pelos encantados.

Também por causa da diversidade de seres que compõe o mundo, pais de santo podem encontrar pessoas que manifestam entidades não conhecidas ou com as quais não sabem trabalhar – como apareceu na narrativa de Teresinha, que não encontrou ajuda na primeira tenda que frequentou, pois não conheciam sua entidade. Uma fala de Beata nos permite ver os limites colocados por seres desconhecidos ao trabalho de um pai ou mãe de santo:

> *Eu fui raspada no candomblé. Primeiro fui croada na mina, com uma mãe de santo mineira, que hoje mora em Lima Campos, mas a gente sempre tem contato com ela. Aí ela disse que eu tinha uma obrigação que ela não tinha condições de fazer, que ela não sabia, não entendia. Que se eu nunca encontrasse uma pessoa aqui em Codó, eu tinha que ir à Bahia* (Mãe Beata, em 07 de setembro de 2011).

A obrigação que a mãe de santo mineira que acompanhava Mãe Beata não soube fazer era para um orixá, entidade com a qual ela não trabalhava. Beata, contudo, não se deslocou à Bahia, porque na época em que precisou fazer a obrigação (ou a iniciação), Eduardo, que era seu tio, retornou para Codó e instalou, ao pé do morro da Igreja de São Pedro, a primeira casa de candomblé da cidade. A partir de Beata podemos pensar em outros casos nos quais os pais de santo foram iniciados em diferentes religiões afro-brasileiras como resultado da diversidade dos seres que recebiam[38].

Em campo me parecia que todo mestre estava suscetível a encontrar, em um novo filho de santo, alguma entidade desconhecida. Disseram-me que se o pai de santo fosse responsável – e não "*vaidoso*" –, ele deveria encaminhar o brincante para outra tenda da cidade, onde fosse possível lidar com o "*guia*" manifestado. É possível que o próprio encantado demonstre que seu lugar não é em determinada casa, dando sinais de que a pessoa que o carrega deve se movimentar:

> *Ele* [o pai de santo] *prepara o filho de santo, mas, às vezes, quando a gente prepara o santo, ele não quer ficar naquela casa. A gente faz a obrigação com o santo, aqui e manda o santo deitar. Se o santo deitar com a cabeça para o altar e os pés para a rua, ele não quer ficar na casa. Às vezes ele fica algum tempo, daí acontece um problema e o filho dele sai. Dá um problema, dá uma discussão* (Café, em 02 de setembro de 2011).

Aceitar um filho de santo em uma tenda é uma grande responsabilidade – e muitos pais de santo eram criticados por aceitarem neófitos apenas para "*aumentar sua corrente num festejo*", ou seja, para aparentar ser uma tenda grande, com muitos integrantes. Nesse contexto, era um elogio dizer a um pai de santo que ele cuidava bem de seus filhos e o cuidado se relacionava com conhecer

---

38. A busca de tendas de diferentes religiões afro-brasileiras e mesmo o fato de ter "preparação" em mais de uma religião nunca me foi apontada como resultado de uma hierarquia entre as religiões (como aparece em outros contextos, ver, por exemplo, GOLDMAN, 1984).

os encantados e preparar as pessoas para recebê-los. Esse cuidado era visível na forma como todos dançavam e se comportavam em giras de tambor. Filhos de santo que não fossem "*firmes*", ou seja, que não controlassem bem o corpo quando da chegada das entidades, por exemplo, indicavam – entre outros elementos – falta de cuidado do seu mestre.

Segundo Pedro, cuidar também implica "*organizar as correntes*" de um filho de santo – ou seja, durante a preparação, saber quais correntes serão recebidas pelo novato e quais serão suspensas. Isso quer dizer que uma pessoa que apresenta mediunidade recebe diversas entidades, que se comportam de formas muito diferentes e são de uma variedade de linhas ou famílias. Quando um pai ou mãe de santo aceita um novo filho, por intermédio de consultas, obrigações e experiências, ele questiona os encantados, para conhecer as correntes com as quais o filho de santo irá trabalhar, podendo assim suspender aquelas que, porventura, não forem utilizadas. É preciso conhecer os encantados que se manifestavam em um filho de santo para poder cuidar dele, ou seja, contribuir para que construa, por intermédio das obrigações, sua relação com as entidades. Essa relação, como indicarei na sequência, impacta também sobre o mestre, uma vez que ele e seu filho de santo não são entidades autônomas e fechadas em si mesmas.

As responsabilidades de um chefe de tenda continuam enquanto o filho de santo estiver em sua casa. "*Cuidar*" era o verbo utilizado para falar dessas responsabilidades, uma atividade considerada "*pesada*" e sofrida. O peso era resultado do fato de que pais de santo compartilham elementos (substâncias, energias) com os filhos de santo a partir de sua preparação, quando o mestre passa a segurar suas correntes. Esse peso não é visível e não pode ser sentido por qualquer pessoa, como eu, por exemplo. Mas ele não é somente metafísico ou transcendente, pois incide sobre o corpo, podendo trazer doenças e o envelhecimento ao pai ou mãe de santo (como indicarei no quarto e no quinto capítulo). Dessa forma, a saúde e a força de um pai de santo também têm a ver com a responsabilidade que os seus filhos de santo têm no cumprimento das obrigações. Luiza dizia que esse compartilhar trazia muito sofrimento e fazia com que ela sentisse que carregava 100 quilos de cada filha de santo em suas costas.

Os encantados e a "*força*"

Os mestres que conheci entendiam sua vida como de extrema dedicação às atividades de cuidado dos filhos de santo e de suas tendas. Era uma vida que dependia da relação com os encantados e que era percebida pelo sofrimento e pelas aflições (presentes já no início da percepção da mediunidade, mas que continuavam pela imposição de tabus alimentares e comportamentais, além do peso do trabalho), mas também por alegrias, pela companhia, pelo prestígio e pelas bênçãos produzidas pelas entidades. Essa espécie de dupla composição (ver quinto capítulo) se traduzia em pontuações ambíguas sobre a chefia das tendas e sobre sua vida como mestres, percebida ora como sacrifício relacionado à função litúrgica, ora como razão da própria existência, que não fazia sentido "*sem dançar o terecô*".

A relação entre pessoas e encantados, como venho mostrando, não é dada ou previamente definida. Como sugere certa bibliografia nas ciências sociais (LATOUR, 2012), aqui também os vínculos sociais precisam de investimento e cuidado constante, mesmo nos casos em que o enredo (FLAKSMAN, 2016a) entre as pessoas/famílias e entidades exista. Essas relações partem de uma constatação compartilhada pelos terecozeiros, a de que a força e o conhecimento dos mestres provêm dos seus encantados e é resultante do compromisso com o cumprimento das suas obrigações. Pedro costumava enfatizar que aprendeu tudo o que sabia com suas entidades e por essa razão não fazia nenhum trabalho sem estar incorporado. Luiza criticava pais de santo que buscavam a fama por meio dos seus trabalhos, dizendo que todos os chefes de tenda eram iguais, o que os deixava mais ou menos fortes era a dedicação e a relação com seus guias.

"Obrigação" era o termo local utilizado para falar de atividades – como as rezas, o acendimento de velas, a realização dos festejos – que eram vistas como compromissos assumidos pelas pessoas com as entidades. Colocar salão, oferecer curas, cuidar de pessoas e *"fazer trabalhos"* compunham essas relações. É a intensidade delas que torna os mestres mais ou menos expeditos. Quanto mais pais e filhos de santo se engajavam em trabalhos, mais elementos eram mobilizados, de forma que um pai de santo ativo era, ao mesmo tempo, forte. Quando diminuíam as atividades, eles se tornavam mais fracos e mesmo inaptos a aceitar alguns trabalhos para os quais era preciso muita força (tema que retomo no quinto capítulo).

Logo, ainda que os encantados tenham (pelo menos em parte) sido pessoas em outro momento de suas existências, sua mudança de estatuto os transformou em seres de outro tipo, capazes de resolver problemas, deter conhecimento e potência além das qualidades humanas. Em Codó não existe um número definido de encantados recebidos por cada médium, de modo que, durante um ritual e durante sua vida, ele pode receber diferentes entidades. Além de serem de família variadas, elas possuem especialidades diversas que remetem às correntes nas quais participam e é pouco provável que uma pessoa possua encantados de todas as linhas, famílias ou correntes. São as características daqueles que são recebidos que falam sobre as capacidades de trabalho e a especialidade de cada terecozeiro.

Existem diferentes intensidade de relação (ou modalidades dela) com os encantados. Apesar de um brincante conhecer muito bem alguns deles e, em determinados casos, ter sua companhia constantemente, a maioria dos médiuns não sabe o número exato de entidades que incorpora. Um elemento que contribui para esse fato é a variação no número daquelas que são recebidas durante a vida. Isso acontece porque, embora algumas acompanhem um pai ou filho de santo por muitos anos, outros podem trabalhar com eles durante um período determinado, despedir-se e deixar de "*descer*". Um segundo elemento relacionado ao fato de não se ter controle sobre o número de encantados recebidos é que existem aqueles que apenas passam pelo corpo da pessoa – "*dão passagem*" – e, não raro, nem sequer seu nome é conhecido. Quando o brincante canta uma doutrina de abertura para algum trabalho (seja uma consulta, uma cura ou um tambor), ele se abre, ou seja, fica vulnerável para encantados que quiserem se manifestar. Soma-se a isso o fato de que alguns encantados podem se fazer presentes, mas não dizerem seus nomes diante do que consideram perigo ou mesmo a impossibilidade de compartilhar essa informação.

Em cada médium os encantados são organizados de forma hierárquica e classificados de acordo com suas especialidades. O encantado mais importante de um terecozeiro é conhecido como "*chefe de croa*" ou "*dono da cabeça*". A chefe de croa de Pedro era Chica Baiana e era ela que Pedro recebia com maior frequência. Ela tinha a capacidade de controlar o acesso de outras entidades ao corpo de pai de santo – e certa vez proibiu Maria Padilha de vir por alguns meses em virtude de um desentendimento entre as duas. Bambu Verde era chefe de croa de Luiza e era recebido com menor frequência do que outros encantados seus, como Sebastiãozinho e Duardo Légua. Alguns chefes de croa[39] apareciam apenas uma vez por ano, nas festas que realizadas em sua homenagem, o que mostra a inexistência de uma relação direta entre a importância do encantado e a frequência com que era incorporado.

---

39. Importantes festas de algumas tendas eram realizadas em homenagem aos chefes de croa. Elas aconteciam no dia da confirmação de croa – ou seja, na data em eles eram fixados na cabeça do brincante, momento que passava a ser considerado seu aniversário. As festas de aniversário a que assisti tinham convite, bolos elaborados, balões, lembrancinhas para os convidados e presentes para as entidades. No dia da celebração, havia discurso e se cantava os parabéns.

As situações de disputa entre Maria Padilha e Chica Baiana, assim como as falas dos encantados de Luiza sobre outros deles, indicam que, além de conhecermos pouco sobre a Encantaria, as entidades possuem uma "vida social" (parafraseando BLANES; ESPÍRITO SANTO, 2014) que independe dos humanos. Uma das ideias mais interessantes para pensar a relação entre as entidades me parecer ser a de família. Venho dizendo que a família mais conhecida em Codó é de Légua Boji Buá da Trindade, encantado que tem pai, esposa e grande número de filhos e netos. Seu Zé Preto me disse que Légua é filho de Pedro Angaço e casado com Rosa Rainha (FERRETTI, 2000a), hoje não "*carregada*" por ninguém em Codó. Marcelo Senzala, da Associação de Candomblé e Umbanda de Codó e Região, tem reunido informações sobre a família e acredita que Légua tem mais de 500 filhos – 336 filhos homens e 214 filhas mulheres. A família de Légua compartilha a relação com a mata, o gosto pela bebida alcoólica (poucos são os que não bebem), mas também apresenta diferenças entre si, por exemplo, o fato de alguns dos seus encantados saberem ler e escrever, enquanto outros não dominam tais conhecimentos. Alguns pontos cantados nas tendas da cidade permitem ver a referência à família do encantado:

A família de Légua tá toda na eira
A família de Légua tá toda na eira
Bebendo cachaça e quebrando barreira
Bebendo cachaça e fazendo poeira.

Na carreira, na carreira, na carreira
Família de Légua só anda na carreira.

Entre os encantados que Luizinha recebia, três tinham presença mais constante em sua casa ou eram mais frequentemente mencionados entre as pessoas próximas: seu Bambu Verde (seu chefe de croa, que "*corresponde*" a José de Ribamar), seu Duardo

Légua e o cativante Sebastiãozinho, uma criança. No final das giras de tambor na tenda, Sebastiãozinho costumava ficar conversando conosco, enquanto serviam refrigerante e bolo, contando as traquinagens que fazia com Bambu Verde, relatando os conselhos que ele lhe fornecia e descrevendo sua relação com outras entidades. Sebastiãozinho ainda cantava seu ponto e, algumas vezes, passava um tempo cantando as doutrinas de outros encantados por ele conhecidos.

Em uma gira a que assisti, em setembro de 2011, na casa de Luizinha, antes de irmos para a Romaria de São Francisco de Assis em Canindé, Sebastiãozinho me perguntou se eu conhecia "*tio Duardo*".

> *Eu vou cantar a música do seu Duardo, tu sabe a cantiga do seu Duardo? Tu sabe o Duardo, o tio Duardo? Ê bicho besta* [como se referia a mim quando eu não entendia o que ele me dizia], *pois ele desce na Luizinha também. Ele fala é muito mais feio que eu. Aí ele canta assim "Por cima do morro eu vim, por cima do morro eu vou, por cima do morro eu sou Boji, por cima do morro eu sou Buá"*. (Sebastiãozinho *em* Luiza, em julho de 2015).

Perguntei se Duardo era da família de Légua e Sebastiãozinho me respondeu: "*Ele disse que ele é filho do Légua. Agora eu é que não tenho nada de Légua, só sou é neto dele*". Comentou a relação de parentesco em forma de brincadeira, fazendo com que todos dessem risada – mas, ao mesmo tempo, apresentou uma espécie de charada: não tinha nada de Légua, mas era seu neto. Ainda que eu pudesse sugerir algumas interpretações sobre sua fala, ou caracterizar formas de parentesco, o mais interessante para mim era insistência na brincadeira, na adivinhação, na forma de falar sem necessariamente responder minha pergunta – uma postura comum entre os encantados. Logo em seguida, Sebastiãozinho começou a se despedir, dizendo que precisava ir embora, do contrário, "*contaria coisas que não podia contar*" e sofreria represálias de Bambu Verde. Imediatamente começamos a nos despedir de Sebastiãozinho, na corriqueira etiqueta de despedida de encantados e pessoas: repetindo que "*ainda era cedo*" e pedindo que ficasse mais tempo.

Pensando ainda nas relações de parentesco entre as entidades, relato um encontro entre encantados em um tambor realizado no interior, próximo ao povoado de Morada Nova. O encontro foi entre Coli Maneiro (que citei anteriormente, um dos encantados mais conhecidos da família de Légua), Ricardo Légua, Rei de Mina e Caboclo Cearense. Seus cavalos eram, respectivamente, um pai de santo, sua esposa, a tia da esposa e a filha mais velha do casal. Naquele dia, Ricardo Légua contava sobre os laços de parentesco entre eles:

> *Eu, Ricardo Légua Ferreira da Trindade Boji Buá, sou sobrinho de Coli Maneiro Ferreira da Trindade. Coli Maneiro é irmão de meu pai. Então é assim, nós é parente como vocês aqui na terra do pecado, não tem parente de sangue? Pois eu mais Coli Maneiro é parente de sangue. É assim, não é que eu respeito menos ele ou que ele me respeita menos, é assim, ele é meu tio* (Ricardo Légua *em* Regina, em agosto de 2011).

Ricardo Légua contou ainda, na sequência, que Rei de Mina, além de guia do salão localizado na Morada Nova, era filho de Coli Maneiro e com ele aprendeu a consumir bebida alcoólica – ou seja, indicou para relações de aprendizado entre as entidades de uma mesma família, que podem aludir, como no caso, a um compartilhar de gostos e experiências. Continuando, ele ainda explicou que Caboclo Cearense, que também estava presente, "é meu tio [tio de Ricardo], *é primo de Coli Maneiro e de meu pai Légua Boji Buá. Nós somos de uma descendência só, de uma família*". Segundo Ricardo Légua, há similaridades entre a forma com que se organiza o parentesco no mundo do pecado e na Encantaria, onde existem tanto os laços de sangue (quando as pessoas são todas da mesma descendência) como laços de consideração, quando não há consanguinidade, mas existe convivência e respeito.

As pessoas que conviviam e participavam das atividades de uma tenda possuíam familiaridade com os encantados que eram mais constantemente recebidos no local. Quando algum deles deixava de vir por algum tempo, era comum as pessoas falarem da saudade que sentiam. Igualmente, depois que retornavam, havia reclamações e cobranças em relação às suas ausências – quando se dizia que não deveriam ficar tanto tempo longe, pois faziam falta. Ainda que ficassem distantes por certo período, quando voltavam, os encantados retomavam problemas e questões discutidos anteriormente, tendo sido, não raro, informados por outras entidades dos acontecimentos recentes e por eles não presenciados.

Para entender eventos como esses – e a relação entre pessoas e encantados de maneira geral –, é preciso considerar que eles não são vistos como criaturas de outro tempo ou do passado. Os encantados têm uma ancestralidade que, para alguns, conecta-os à África, ao período da escravidão ou simplesmente a um tempo muito distante. Contudo, sua história não está acabada, de forma que continuam somando episódios à sua vida (FERRETTI, 2000a). Isso se torna evidente, por exemplo, nas considerações que fazem sobre questões atuais na cidade, como o aumento da violência e do uso de substâncias psicoativas. Luiza consultou seus encantados pedindo autorização para fazer as giras de tambor mais cedo e assim encerrar as atividades da tenda antes da meia-noite (com exceção do seu festejo), pois estava preocupada com o retorno das filhas de santo para suas casas depois que terminassem as obrigações. Suas entidades parecem ter compreendido sua apreensão e aprovaram a mudança de horário.

Os encantados mostram a continuidade das relações no tempo (chegando a mais de 100 anos de convivência, como o caso de Chica

Baiana na família de Pedro) e, concomitantemente, continuam reafirmando, construindo e renovando vínculos. Muitos me disseram que a passagem do tempo acontece de forma diferente para as entidades e ouvi que mesmo a contagem dos anos não se dá igualmente entre elas. Nas vezes em que perguntei sobre o envelhecimento dos encantados tive acesso a duas explicações diferentes. Por um lado, soube que os encantados não envelheciam, permaneciam da forma com que estavam quando se *encantaram*; outras vezes eu ouvi comentários sobre a necessidade de diminuir a quantidade de dias de tambor, porque os encantados estavam ficando *"velhinhos"* – o que me dava a entender que as entidades estavam (ainda que em outro ritmo) envelhecendo. Luiza me disse simplesmente que *"para eles não funciona como para nós"* – o que provavelmente queria dizer que minha pergunta não fazia muito sentido, porque estabelecia um parâmetro de comparação inexistente.

Percepções variadas sobre o envelhecimento dos encantados podem estar relacionadas com a *"capacidade"* que possuem de *"se apresentar"* de forma distinta em pessoas diferentes – o que também ocasiona dificuldades quanto a sua identificação ou reconhecimento. Quando estive no povoado de Morava Nova, conversando com uma brincante que recebe Rei de Mina, ela me disse que ele vinha de uma forma completamente diferente de como se apresentava, por exemplo, quando recebido por Maria dos Santos em Codó[40]. Pais e mães de santo entendiam essas múltiplas maneiras de se apresentar (que poderíamos chamar de uma ontologia modular ou identidade não substantiva) como *"segredos"* da religião e concluíam com modéstia que *"a gente nunca vai saber a realidade toda*

40. A possibilidade de um encantado se apresentar como velho ou novo lembra, em algum sentido, as diferentes "vibrações" ou "qualidades" de uma entidade (OPIPARI, 2009), como têm sido compreendidas as variações ou passagens internas a um orixá (BARBOSA NETO, 2012). Considerações sobre qualidades, contudo, não surgiram em meu campo e também não as encontrei na bibliografia consultada sobre terecô e tambor de mina (FERRETTI, 2000a; 2001a; FERRETTI, 1996; BARROS, 2000; BARRETO, 1977; PRANDI; SOUZA, 2004).

da Encantaria". Essa multiplicidade é evidente em um dos pontos de apresentação de Duardo Légua, cantado na casa de Luizinha:

> *Na minha aldeia eu sou um índio*
> *Na minha eira eu sou um caboclo*
> *Na minha mesa eu sou doutor*
> *Na minha gira eu sou caboclo girador*
> *Mas o meu nome é Duardo Légua*
> *Duardo Légua de Avanissê!*
> (Duardo *em* Luiza, em julho de 2015).

Os encantados participaram do passado, atuavam do presente e também eram vistos como conselheiros sobre o futuro. As recomendações eram dadas tanto em consultas e atendimentos quanto em incorporações imprevistas, em sonhos ou por meio de sinais enviados pelas entidades. Um conhecido, membro da diretoria[41] da casa de Pedro, era constantemente avisado por Maria Padilha sobre deslizes em seu comportamento ou sobre futuras decisões. A pombagira enviava sinais que funcionavam como avisos e se manifestavam, por exemplo, na quebra de copos em mesa de bar, em tombos de moto ou outros pequenos acidentes.

Os sinais enviados pelos encantados – com intuito de ajudar e proteger seus filhos de santo ou de mostrar reprovação diante de alguns de seus comportamentos – eram sentidos no corpo, por intermédio de energias, arrepios e calafrios. Eles indicavam que a capacidade das entidades de antever situações e de recomendar comportamentos aos seus médiuns ou pessoas próximas a eles. Pais, mães e filhos de santo que têm o "*dom da visagem*", ou seja, que podem ver além das outras pessoas e prever acontecimentos,

---

41. Os cargos e as responsabilidades da diretoria de uma tenda variam de um local para outro. Alguns deles são mencionados recorrentemente, como o de presidente (a), padrinho, madrinha, diretor (a) e conselheiro fiscal (responsável pelo espaço físico e pelas finanças da festa). Algumas tendas possuem ainda mãe pequena, guia e contraguia.

recebem-no dos encantados, pois, como me disse uma filha de santo de Luiza, *"são eles que veem as coisas e vem nos contar"*. A interpretação dos sinais faz parte do aprendizado constante da vida de um brincante, que é todo tempo acompanhada pelas entidades.

A familiaridade com os encantados não exclui o fato deles não serem necessariamente benevolentes. Boas relações com eles, como vimos, dependem de um sistema de parceria, troca e sacrifício feito por intermédio das obrigações, que participa da constituição mútua de ambos. O seu não cumprimento leva a cobranças por parte das entidades e mesmo a punições. Luiza me explicou a importância das obrigações por intermédio da comparação com meus estudos, demonstrando ser uma etapa necessária para a eficácia dos trabalhos de uma mãe de santo:

> *Porque, não tem assim, como você, para você estudar, no seu trabalho, você precisa ter a pergunta e as provas, assim, que dizem como aquilo é. Vamos supor, precisa disso para você ter sucesso no seu trabalho. É assim também, vamos supor, com a gente, precisa fazer a obrigação para ter sucesso, pro encantado ajudar, para perguntar as coisas para ele* (Luiza, em 14 de abril de 2011).

A obrigação constituía uma forma de acesso ao conhecimento e à força dos encantados – em um sistema no qual criar uma relação conduzia ao compartilhar de qualidades e substâncias. Contudo, como lembra Baptista (2007, p. 23), a obrigação "não obedece necessariamente a uma equação direta entre custo e benefício envolvidos na relação, mas baseia-se em uma *ética do sacrifício*, que não se sustenta na ideia de recompensa ou castigo diretos". A relação com os encantados não é concebida sem o cumprimento das obrigações que caracterizam a chefia das tendas como pesada e com um aspecto (pelo menos potencial) de castigo e punição. Encantaria *"tem penitência e tem castigo"*, dizia dona Iracema, comparando a vida dos médiuns à de Jesus Cristo, que também teria passado por provações nas suas experiências de fé.

Nesse sentido, o não cumprimento da etiqueta da relação com as entidades – a não valorização e o não reforço destas relações – leva a infortúnios e castigos (BAPTISTA, 2007) e mostra como alguns encantados podem ser duros, vingativos e bravos – como indiquei brevemente sobre os vodunsi antigos no capítulo anterior. Circulavam, entre meus interlocutores, algumas histórias clássicas sobre castigos de encantados, que teriam provocado a morte dos seus cavalos (o caso limite da punição), a subida em árvores, o sumiço no meio do mato, a ingestão de objetos como velas acesas ou embaraço em público.

Durante a pesquisa de campo, além de ouvir as histórias contadas sobre as repreensões das entidades, estive presente em algumas situações nas quais elas aconteceram. Em um festejo no povoado de Santo Antônio dos Pretos, na Tenda Santa Barba e São José, do pai de santo Bigobar, vi uma entidade chamada Cabocla Jussara, incorporada numa pessoa visitante, passar um sermão no pai de santo. Ela o xingava na frente de outras pessoas, em um bar improvisado ao lado do salão. O pai de santo permanecia calado, escutando-a com respeito, porque, como me explicaram, ela também era recebida por ele. Um dos encantados de Luiza costumava passar sermão em suas filhas de santo depois das giras realizadas em sua tenda. Ele dizia que elas se preocupavam muito pouco com a casa, não sabiam "*nem benzer inocente*" e que não saberiam como cuidar da tenda quando a mãe de santo morresse. Outra atitude comum dos encantados era causar embaraço em pessoas que tinham mediunidade, mas não desejavam incorporar, colocando-as no meio das giras. Essas manifestações não eram vistas, necessariamente, como uma maldade, mas como um pedido de engajamento.

Outras situações, contudo, ainda que entendidas como uma cobrança por algo não realizado por algum brincante, não deixam de ser consideradas tensas. Às cinco horas da manhã do dia de início da festa de um pai de santo, de forma inesperada e imprevista, ele foi "*pego*" por um dos seus encantados, que o levou até a frente de sua tenda e o fez rolar pelo chão de terra. Segundo contaram no povoado, essa manifestação era uma cobrança, pois naquele ano o pai de santo não soltou foguetes na abertura do seu festejo. Nos diversos comentários sobre o fato, as pessoas entediam o que tinha acontecido – o pai de santo foi punido porque não cumpriu uma obrigação –, mas também consideraram o ato duro por parte das entidades.

Não era raro que um pai de santo ou mesmo outros terecozeiros, quando viam que um encantado estava castigando um médium, se aproximassem e procurassem cuidar da pessoa, para que não se machucasse. Era possível que se mandasse a entidade "*subir*", dirigindo-lhe pedidos em voz alta. Luiza com frequência discordava do comportamento de alguns encantados que vinham "*atravessados*" em outras pessoas e, quando isso ocorria, dizia-lhes para "*firmarem seu ponto e irem embora*", pois tinham vindo para punir e não para dançar.

Pela quantidade de trabalho que engajam e pelas cobranças e punições que podem fazer, nem toda relação com os encantados é vista como positiva ou desejada. Em um festejo que acompanhei na casa de Pai Aluízio, ouvi duas mulheres conversando sobre Coli Maneiro (encantado que citei anteriormente, recebido por outro brincante) e sua aparição em cima de um senhor conhecido porque frequentava muitos festejos. As duas estavam surpresas que o encantado continuava "*descendo*" naquele homem, já que Coli Maneiro não costumava ter "*nenhum cavalo velho, só vem em moço novo*" (Diário de campo, 30 de agosto de 2011). Uma delas ainda fez referência a um rapaz em quem o encantado tinha começado a incorporar há pouco tempo. A mãe do rapaz não estava nada feliz com sua chegada, porque ele costuma beber quando recebido. A senhora que contava a história lembrou, contudo, que a opinião da mãe do rapaz não importava, porque Coli "*passou o dedo em todos os filhos dela*", ou seja, já tinha "*tomado*" os jovens para si.

Como lembra Rabelo (2014), apesar da presença das entidades na vida de uma pessoa se mostrar, diversas vezes, de forma impositiva, ela não pode ser tomada em uma posição passiva ou despossuída, de forma absoluta, de agência. Existem formas de diálogo e de conversa com as entidades, que podem significar – como indiquei em outro momento do texto – o afastamento das entidades por certo período, o "*seguro*" delas por membros da família, ou, ainda, a transformação de hábitos que lhes são comuns. O filho de Luiza, como ela e um de seus encantados contaram, pediu a seu Duardo Légua que deixasse de consumir bebida alcoólica quando incorporado na mãe de santo, uma vez que ela própria não tinha esse hábito. Diante das recorrências do pedido, o encantado respondeu à criança que:

> *Meu filho, você é uma criança, mas eu vou prometer pra você, eu, Duardinho Légua Boji Buá, uma banda de Deus outra do Diabo, um lado faz bem, outro faz mal, nunca dei nó pra ninguém dessa terra desatar. Eu levo de caceta ou de saco de fubá, se eu não achar de fubá eu levo de areia, mas só levo é cheio. Mas eu vou te dizer bem aqui, nunca mais eu lanço* [bebo] *em cima da tua mãe, nunca mais!* (Duardo *em cima* de Luiza, após uma gira em sua casa, em julho de 2015).

Da relação entre pessoas e encantados me parece importante ter dois cuidados. O primeiro é não assumir similaridades entre os dois seres – ainda que as famílias possam ser parecidas, os encantados possam ser padrinhos, parteiros ou ainda companhia mais constante do que alguns familiares, o que a experiência de campo demonstra é que as equivalências e continuidades entre pessoas e entidades são acionadas em alguns momentos, mas as preocupações dos encantados e sua ação no mundo não correspondem simplesmente àquelas dos humanos. Em segundo lugar, a coexistência – e mesmo a participação – não significa uma mistura ou uma amálgama indistinta – ainda que também aqui a pessoa encontrada questiona e não corrobora com o preceito do indivíduo moderno e ainda que fronteiras e funcionalidades de corpos possam ser atravessadas pelas entidades. A convivência e o compartilhar de comportamentos e substâncias, que acontece por meio da experiência do terecozeiros, indicam para uma forma de ver o mundo que só faz sentido no reconhecimento da multiplicidade de seres que o compõem. A ideia de "*brincadeira séria*", utilizada por diversos terecozeiros para indicar a religião, parece-me uma locução oportuna para falar dela não em termos de adesão ou escolha; mas em termos de relação, cuidado e companhia.

3. O PÉ DO MEU TAMBOR

O *"pé do meu tambor"* é uma expressão utilizada por Luiza. Ela é dotada de uma referencialidade múltipla que remete à tenda (o espaço onde os tambores, literalmente, estão colocados), à casa e à festa. Quando ouvi a mãe de santo utilizá-la pela primeira vez, ela contava que em seu festejo não era permitido tomar bebida alcoólica e que os visitantes do evento deveriam, uma vez em sua casa, seguir certas normas por ela determinadas. A correlação traçada entre a residência, a festa e o salão em nada era aleatória e indicava para a experiência do terecô feita no âmbito de um doméstico que não pode ser reduzido à ideia do privado, do contido ou do meramente rotineiro.

Quando retomo a experiência de viver em Codó, chama minha atenção a importância da casa nas conversas sobre minha presença na cidade. Eram, nesse sentido, muito comuns as perguntas sobre onde eu morava, quem era o dono da minha casa, qual era a rua onde ela estava localizada. Inicialmente, pensei ser essa apenas uma forma de conversar com pessoas *"de fora"*, como eu, especialmente quando ainda não tinha muito assunto em comum para compartilhar; ou uma forma de dar concretude à minha estadia na cidade, uma vez que diversas pessoas interessadas no terecô passavam pelo local, mas raramente nele estabeleciam casa. Tempos depois, entretanto, percebi que as casas eram importantes por motivos que iam além da mera curiosidade ou da *"conversa jogada fora"* – como espero demonstrar neste capítulo.

Quando se caminha por Codó é possível perceber alguns traços arquitetônicos comuns ao conjunto de casas. É raro encontrar recuo entre as residências e as calçadas, o que faz com que muitas delas sejam rentes à rua, de forma que suas portas e janelas abram para o movimento. Existem aberturas, nas construções, apenas na frente e nos fundos dos edifícios, o raro vento corre entre elas e agita os ambientes quentes, mas a luminosidade tem mais dificuldade de se impor, fazendo com que alguns cômodos permaneçam escuros mesmo durante o dia. Para quem chega, o primeiro cômodo da casa é a sala – que nos fins de tarde se espraia para a rua em frente, onde são colocadas cadeiras para a reunião de familiares e vizinhos. O "*sentar na porta*", dizem, tem diminuído diante da violência urbana, mas ainda pode ser visto em diferentes bairros. Depois da sala, o corredor costuma dar acesso a diferentes cômodos, especialmente quartos por onde se distribuem os moradores, em camas e em redes presas às paredes.

As paredes da sala, em Codó, lembram relicários – e se contrapõem aos móveis simples dispersos nelas. Elas são cuidadosamente decoradas com fotos que apresentam a família. Os vivos, os mortos e as pessoas que migraram para outros estados se fazem presentes nesses registros que demonstram que a moradia continua sendo um local de referência mesmo para quem se desloca (WOORTMANN, 1995; MARCELIN, 1999). Existem ainda retratos dos locais por onde já se viajou, como da ida para Canindé para a romaria de São Francisco, ou fotografias que indicam a relação das pessoas com o terecô. Estas últimas, em grande parte, foram feitas em festejos e por isso têm como cenário as tendas de pais e mães de santo, quando destacam a relação entre o chefe e seus filhos, registram a roupa nova e a decoração, evidenciam a abundância da comida e da bebida servidas aos participantes. Entre as fotos das pessoas, também são alocadas fotos dos encantados. Na casa de Luiza, um porta-retratos com Sebastiãozinho foi colocado na sala, a pedido dele próprio; na parede da sala de Pedro, imagens de Chica Baiana com amigos, tiradas em uma das festas realizadas em sua homenagem[42].

42. Em diversos casos, eu apenas reconhecia a presença do encantado sobre o cavalo quando alguém da casa me contava. Algumas exceções aconteciam com encantados que

Entre as fotografias se destacam as montagens confeccionadas a partir de diferentes imagens, encontradas em diversas casas de Codó. Elas reúnem, no mesmo retrato, pessoas, objetos e encantados que estavam em registros diversos, em momentos de tempo díspares e também em lugares variados. A fotografia-montagem funciona, em certo sentido, como a própria parede-relicário: reúne pessoas e seres separados, em passagens de tempo não coincidentes, que questionam as linearidades e as fronteiras espaço-temporais. A parede é decorada ainda com flores, espelhos, calendários, bibelôs e imagens dos santos, rosários, retratos antigos (pinturas baseadas em uma velha fotografia, projeções do que seriam os rostos das pessoas atualmente), quadros com anjos e banners modernos com a imagem dos filhos adolescentes.

A ornamentação das paredes é uma ação consciente de seleção. Nelas estão representadas situações e seres que fazem parte da experiência da casa, pois se relacionam com as pessoas que nela vivem. As paredes chamam atenção para a importância do cultivo da lembrança – dos mortos, dos parentes distantes, dos familiares; e mostram que os seres que habitam a casa não necessariamente se encontram, todo o tempo, sob o mesmo teto. A presença das entidades nas imagens nos mostra, como sugere Rabelo (2008a), que elas se fazem presentes de maneiras diferentes fora do âmbito ritual, pois "No espaço doméstico e também na rua, caboclos, exus e erês fazem parte do cotidiano dos seus médiuns, desenvolvendo relações pessoais com gente da família e da vizinhança [...] sua presença dificilmente permanece confinada ao espaço institucional da religião" (RABELO, 2008a, p. 195).

Além das fotografias, outros ícones e índices da presença das entidades se dispersam pelas casas. Existem "*mesinhas*" (pequenos

---

possuem expressões típicas, faciais ou corporais, facilmente identificáveis. Supriano, recebido por Café, por exemplo, permanece com um dos olhos semicerrado quando recebido pelo pai de santo.

altares) em muitas delas, presentes na sala, em um canto de corredor ou mesmo em um quarto consagrado às entidades. Elas são formadas, normalmente, por um conjunto de elementos como imagens de santos e de Jesus Cristo, arranjos de flores de plástico, toalhas coloridas, quadros, rosários, crucifixos, anjos de porcelana, prato ou pires para acender velas e pequenos ramos de árvore utilizados para benzer crianças. Na casa de pessoas de religião afro-brasileira pode ser que se encontre a imagem de algum orixá (provavelmente Iemanjá, cuja imagem é mais comum) ou de um caboclo de pena (índio) e uma garrafa de banho preparada para os rituais.

Um dos primeiros pedidos dos encantados, quando se manifestam na vida do futuro pai ou mãe de santo, é que coloquem uma mesinha dentro de casa, local onde devem efetuar rezas, obrigações e cuidados. Os trabalhos de mesa são realizados pelos encantados da linha de cura e englobam benzimentos, atos considerados simples, mas também o tratamento de doenças tidas como mais sérias (como indicarei no quarto capítulo). Nessas curas, muitos pais e mães de santo utilizam o maracá – tido pela literatura como uma referência direta à Pajelança, encontrada em outras regiões do Maranhão (MOTA, 2009; PACHECO, 2004; DA MATTA; PRADO; MOURÃO SÁ, 1975) –, assim como recorrem aos seus santos de proteção e aos encantados.

Nas narrativas de pais e mães de santo, citar a mesinha é falar do início das suas trajetórias enfatizando que se "*começou pequeninho*", ou seja, com uma infraestrutura reduzida, normalmente com imagens de santos recebidas de herança dos familiares e irmãos de santo. Pedro, por exemplo, conta que os primeiros trabalhos que realizou foram na mesa que colocou após a morte do avô. Nela havia penas dois santos recebidos de seu Gili e um pires para acender velas. Foi a partir dos trabalhos realizados nas mesinhas que muitos pais e mães de santo ficaram afamados nas localidades onde residiam e passaram a ser procurados para atendimentos. A partir de então, suas casas se tornaram espaço de cura e tratamento, funcionando como uma "fonte discursiva" (TAUSSIG, 1993, p. 325) do poder que desenvolviam trabalhando com as suas entidades.

Nos diferentes relatos de casos de cura nas mesas no início de suas trajetórias como pais de santo, os mestres evidenciam que a casa é o espaço no qual se opera uma transformação na condição dos doentes. Eles chegam carregados em redes, desacordados, amarrados e violentos. Da casa, a partir do seu trabalho e das entidades, saem caminhando, saudáveis. Nos relatos, alguns tratamentos duram poucos minutos, enquanto outros envolvem maior dispêndio de tempo, quando o cliente visita ou reside na casa do pai ou mãe de santo durante meses.

Além das mesinhas, encantados e santos podem receber um quarto dentro das residências das pessoas. Existem os pequenos, onde se pode abrigar apenas uma mesa, os santos e o devoto (quando servem para rezas e benzimentos); e os grandes, que se destinam à realização de obrigações aos encantados. Pedro destinou dois quartos da casa onde vivia para as suas entidades. Chica Baiana era dona do que ficava na entrada da casa e Maria Padilha trabalhava no quarto dos fundos, que era acessado pela cozinha. Em setembro de 2011 a casa foi reformada e dois quartos novos foram construídos no fundo do terreno, desocupando os antigos para outras funções. Nos anos seguintes, Pedro recebeu um terreno de doação de um de seus clientes e construiu uma casa nova para si. O quarto de uma das encantadas foi para a casa nova, enquanto o outro permaneceu na casa da mãe, onde vivia anteriormente.

Quando conheci o quarto de Chica Baiana, em 2010, ele se localizava na casa da mãe de Pedro, onde ele ainda vivia. Em uma das paredes havia um grande altar. Abaixo de uma imagem de Jesus Cristo, estavam dispostos os santos, algumas flores, candelabros com velas brancas, vidros de perfume, uma imagem de Buda, uma sineta, vez ou outra alguma fotografia, o cachimbo de Chica Baiana e um prato com uma mistura que levava azeite de dendê. Ao pé do altar, potes com o resíduo do fumo do cachimbo e alguns alguidares de cerâmica. As paredes tinham quadros de santos e anjos, flores, bibelôs de porcelana (casinhas, cogumelos, anjos, animais), quadros com fotografias e a reportagem da National Geographic (2010) para qual dona Chica deu uma entrevista. Todas as paredes eram decoradas e todos os cantos do quarto receberam pequenos altares e locais para acender velas, além de desenhos de pontos que remetiam a entidades específicas. Em frente ao altar ficavam duas cadeiras, uma para a encantada e outra para quem ela atendesse nas consultas realizadas, especialmente, nas sessões de segunda-feira à noite e em outros trabalhos.

O quarto de Maria Padilha era na parte de trás da casa, depois de se passar pela sala e pela cozinha. Seus objetos ficavam no chão ou em bancos pequenos: garrafas de bebida, estátuas de pombagira e exus. Tecidos com imagens de rostos femininos, recebidos como presente, estavam dispostos nas paredes. O colorido do quarto de Chica Baiana dava lugar ao vermelho e preto, cores associadas à pombagira. Maria Padilha costumava atender depois dos outros encantados do pai de santo, porque preferia o horário mais próximo da meia-noite e não gostava de encontrar crianças na casa ou ouvir os animais no pátio. Pedro precisa, até hoje, de quartos separados, pois as entidades são percebidas como muito distintas. Elas têm ainda, entre elas, diversas divergências, relacionadas às suas características particulares e à forma com que entendem os procedimentos e encaminhamentos no atendimento aos clientes. Certa vez, uma discórdia entre as duas, em relação ao comportamento de um rapaz da diretoria da casa de Pedro, levou dona Chica, superior em hierarquia pois chefe de croa, a proibir a vinda de Maria Padilha por meses.

Nos dias de consulta, os clientes que chegavam à casa de Pedro (enquanto ainda vivia na casa da mãe) aguardavam o atendimento na garagem na entrada ou na sala, assistindo à televisão com sua família. Enquanto esperavam, poderiam assistir à novela com as crianças, ver a irmã do pai de santo consolando alguém, para usar o banheiro, pedir copos de água, telefonar para outras pessoas demandando dinheiro para um trabalho, ajudar alguma criança a fazer tarefa de escola, indagar sobre as fotos da parede e sobre a vida do pai de santo. Ao ingressarem na casa, os clientes se achegavam e pesquisavam sobre a vida do mestre, perguntando sobre seus trabalhos anteriores e sobre suas capacidades.

Os trabalhos, curas e atendimentos realizados dentro das casas ilustram como a separação entre espaços sagrados e espaços profanos não opera como uma divisão absoluta. Isso porque os ambientes são permeáveis aos acontecimentos nos diferentes cômodos. Sons, cheiros, animais e também as crianças ultrapassam paredes e portas. Em uma arriada para Preto Velho, realizada em um dos quartos da casa de Pedro, as doutrinas cantadas no âmbito do ritual se misturaram a um programa musical de calouros que era assistido, pelas crianças, na sala. Se as casas também se constituem como moradias (mais ou menos) passageiras aos encantados – que estão em constante movimentação entre outras residências e também entre este plano dos *"pecadores"* e a Encantaria – a permeabilidade dos espaços me parece os retirar de uma existência puramente "sobrenatural", porque eles mesmos compartilham do doméstico quando são recebidos nos corpos e casas.

Sugiro que os altares, as mesas e os quartos funcionam como signos de uma relação de proximidade entre santos, entidades e pessoas, que se constitui efetivamente no âmbito dos serviços, funções e rotinas da casa. Os encantados ocupam o espaço doméstico não apenas com sua presença, mas também com suas fotos na parede, com suas muitas roupas de festa que ocupam caixas e guarda-roupas, com louças particulares, mas guardadas nos espaços de uso comum nas cozinhas. É a partir dos encantados que a casa se abre aos desconhecidos que procuram curas, trabalhos e cuidados dos pais e mães de santo. Todos esses processos de convivência se tornam ainda mais constantes quando, depois de atender em mesinhas e quartos, as entidades pedem a alguns de seus médiuns que construam as tendas.

Colocar barracão

"Colocar barracão" é construir uma tenda, momento rememorado constantemente pelos pais e mães de santo de Codó que, de maneira geral, gostam de contar sobre sua origem e mostrar seu certificado de registro em uma das federações de umbanda. Esse é também um tema constante de conversa entre aqueles que ainda não possuem seu espaço ritual, mas têm planos de fazê-lo. Erigir um salão não é uma decisão pessoal ou particular, mas um desígnio dos encantados (tal como o trabalho com as mesinhas) discutido e elaborado no âmbito da família e dos amigos, que são fundamentais na construção e na manutenção desses espaços.

A construção de uma tenda transcende o ato de edificação de um local para trabalhos, rezas e festejos. Com ela se institui um novo status: o brincante se torna pai ou mãe de santo[43]. Nesse sentido, ter uma tenda é *"aceitar a responsabilidade"* de ser mestre. Com ela surgem diversas atividades relacionadas ao cuidado e acompanhamento dos filhos de santo, algo considerado muito trabalhoso (como indiquei no capítulo anterior). Aparece ainda o incômodo com os vizinhos em virtude do som dos tambores e das festas, e a possibilidade de ser visto negativamente como *"macumbeiro"* por aqueles que não participam das religiões afro-brasileiras. Com as festas, filhos de santo e trabalhos, a feitura dos salões também implica um aumento expressivo nas despesas financeiras, de forma que colocar barracão mobiliza um conjunto ambíguo de elementos: por um lado, acrescenta à identidade dos pais de santo, confere-lhes status e melhora suas vidas; por outro lado, estabelece limitações

---

43. Existem pais de santo que ainda não possuem salão, como o caso de Pedro no início da pesquisa de campo, que recebia seus filhos de santo nos quartos de sua casa e fazia o festejo para Chica Baiana na tenda de Maria dos Santos. Segundo o pai de santo, seus encantados ainda não haviam pedido a construção de sua tenda, porque "dá muito trabalho" e dificultaria as viagens que fazia para atender clientes em outras cidades do Brasil.

dentro das já difíceis condições financeiras e pesa sobre os corpos dos mestres. A construção, entretanto, não passa por um cálculo simplista de prós e contras.

Colocar barracão é também uma ação direta sobre as aflições que afetam a saúde dos terecozeiros e que são percebidas como resultado da ação dos encantados. A mestra Jesus de João Marabaia percebeu uma melhora de sua saúde no momento que construiu sua tenda, do contrário: "*Eu iria ficar doida do meu juízo. Eu sonhava sempre e construir aqui foi como tirar um peso das minhas costas*" – disse-me, quando fui visitá-la em uma festa. Teresinha, por sua vez, contou-me que foi com seu salão que "*eu tive as condições de arrumar a minha própria casa*", sendo o momento em que sua vida melhorou. Assumir a responsabilidade de ser um pai ou mãe de santo e construir um salão, têm, portanto, reverberações diversas na vida de uma pessoa.

As histórias sobre a construção das tendas parecem ter um enredo básico: são locais que começaram muito pequenos, construídos de taipa, atrás ou nas laterais das casas. De edificações de barro cobertas de palha se transformaram em alvenaria e receberam investimentos na beleza de sua aparência, nos detalhes das toalhas, das imagens de santo, da pintura nova e colorida. Esse caráter processual é evidente na convivência prolongada em campo, quando se vê, por exemplo, a construção de novas paredes, de muros ou telhados laterais, banheiros e quartos para bem receber os visitantes. A tenda e a casa, nesse sentido, nunca estão prontas (CARSTEN; HUGH-JONES, 1995), mas em constante processo de transformação.

Tanto a construção quanto o aumento de um salão acontecem mediante "*ajudas*" que partem dos familiares, de clientes, de políticos e das entidades. Entre todas elas, seria impossível fazer uma tenda sem a participação dos encantados. Eles, por intermédio de trabalhos e curas, conseguem dinheiro e doações que são investidos na construção das casas e dos barracões, na sua melhoria e reforma. Maria dos Santos creditava aos encantados, trabalhando sobre sua antecessora Antoninha, a construção da casa em que ela vivia, dizendo que "*seu Lauro (Boji) foi trabalhando em cima dela* (de Antoninha), *ele levantou a casa dela* [...] *aumentou a casa e fez uma casona*". A ajuda das entidades também foi fundamental na construção do seu salão e quando me levou a primeira vez para conhecê-lo, apresentou-o dizendo: "*Essa aqui é nossa casa, que o Mestre Lauro e o Caboclo Sete Flechas deixaram para mim*" (referindo-se a entidades de Antoninha).

Em certos momentos, a narrativa compartilhada para se falar sobre a construção de um salão – remetendo à humildade e à ajuda das entidades e pessoas – é homóloga ou aproximada à da trajetória de pais e mães de santo. Assim como os espaços, também eles começaram pequenos e humildes, desconhecendo muito de sua função e com poucos filhos de santo. À medida que mostravam sua dedicação, recebiam dos encantados conhecimento e força, de forma que foram crescendo e se tornando conhecidos. Quando perguntei ao seu João Tavares sobre o início das atividades como pai de santo em Codó, ele recorreu a esse discurso, dizendo: "[...] *cheguei e comecei aqui, era humildezinho, coberto de palha. E de lá, com a ajuda de Jesus Cristo e dos irmãos aqui, fui crescendo aos poucos*".

As tendas são um espaço de materialização dos vínculos que aproximavam pessoas e entidades. Em seu formato arquitetônico, elas apresentam traços em comum. São formadas por uma sala grande com cadeiras ou bancos em torno do salão, contêm um altar central, um quarto pequeno para determinados atendimentos, guardam os assentamentos dos encantados e têm aberturas para o pátio ou para a casa com a qual se encontram em contiguidade (o "*peitoril*"). O altar no centro do barracão é maior do que os altares encontrados no interior das residências, todavia, tem composição semelhante[44]. Ao lado do altar é comum haver um espaço de

44. A tenda de Mãe Nilza foi a única que conheci sem altar central no salão principal. Mesmo outras tendas de candomblé, como de Beata e de seu João Tavares, possuíam altar em local central do salão.

destaque – separado do salão por uma pequena cerca ou palco – para os tamborzeiros e cabaceiros.

O teto e as paredes laterais sempre estão decorados – e apesar da constância dos desenhos e quadros, dos santos e da imagem de Jesus Cristo, da presença de algum orixá, das bandeiras coloridas de papel no teto –, e a escolha ou definição de cada um desses elementos nos remete à biografia do mestre e dos encantados que lhe acompanham. Luiza tinha sobre o altar algumas imagens de São Francisco que foram compradas por ela em Canindé, quando foi à Romaria, no ano que nos conhecemos. Como mencionei quando descrevi as mesinhas, também os altares e as tendas possuem objetos herdados ou escolhidos pelas entidades, além de presentes de pessoas que passavam pela casa (certa vez, dei a Luiza um rosário que comprei em uma viagem e depois o reconheci pendurado na imagem de uma das santas do altar).

As tendas, muito comumente (como indiquei anteriormente) estão localizadas nos fundos dos terrenos. Elas recebem cuidados específicos – as crianças não podem brincar nelas a qualquer momento, há o hábito de limpá-las e acender velas no local –; é como se estivessem guardadas. Contudo, elas estão em um dos locais mais dinâmicos da casa: os quintais. Eles são o espaço de lavar roupas dentro de tonéis feitos de pneus e cozinhar no fogão de barro com carvão de coco babaçu, uma opção mais barata do que os fogões a gás que ficam dentro das casas. Além disso, é onde costuma ficar a "*criação*" de animais para o consumo doméstico, como galinhas e porcos. Soma-se à criação um eventual espaço de plantação de temperos e chás. Ainda é no fundo dos terrenos que, em algumas casas, encontra-se o banheiro – um ambiente quadrado confeccionado com madeira ou palha, dentro do qual se coloca uma mangueira ou chuveiro.

As tendas que são tidas como as mais antigas da cidade – como a de Iracema (construída, estima-se, na década de 1940, por Maria Piauí), a de Maria dos Santos (que pertenceu a Antoninha e foi edificada, provavelmente, na década de 1960[45]), a de Bita do Barão (feita em 1954) – estão localizadas ao lado da casa desses pais e mães de santo e possuem acesso direto às ruas dos seus bairros. Segundo seus mestres, sua localização se relaciona com a disponibilidade de espaço no seu entorno, ainda pouco habitado. Nos anos seguintes, a cidade teria crescido, ocupando as áreas que antes eram mato e reduzindo a dimensão dos terrenos.

As tendas de Zé Preto (de 1987), Luiza (de 1982), Raimundinho (de 1986), João Tavares (de 1998), Jesus (de 2007), Teresinha (de 1995)[46], Beata (de 1993)[47] e da grande maioria dos pais de santo de Codó, diferentemente daquelas mais antigas, foram construídas na parte de trás dos terrenos de suas casas – no espaço do quintal. Quando o terreno era pequeno, os salões eram feitos de forma contígua à própria casa – como a de Luiza, onde é uma peça imediatamente subsequente à cozinha. Quando o terreno era maior, via de regra, os pais e mães de santo preferiram construir a tenda "*desgarrada*" da casa, preservando alguns metros de quintal para manter seus salões mais ventilados nas noites quentes da cidade. Nesses casos, no espaço entre a casa e a tenda havia pias, tanques, fogões de barro, banheiros, altares e assentamentos com imagens de santos e orixás.

Tenho notado que as tendas contíguas às casas são mais recentes, construídas a partir da década de 1980, momento em que a cidade recebia com maior intensidade a migração do campo – de

45. Sobre a incerteza em relação à data de construção da tenda de Antoninha, afirma Mundicarmo Ferretti: " [...] presume-se que seu salão tenha sido aberto logo depois de 1960, após o falecimento de seus pais de santo e próximo ao fechamento da fábrica de tecelagem onde Antoninha trabalhou por muitos anos [...] Mas, ela deve ter começado a 'trabalhar' e preparar médiuns em sua casa muitos anos antes [...]" (2001a, p. 120).

46. Dona Teresinha mencionou o ano de 1995 fazendo referência à tenda "na forma com que ela está" (em 05 de setembro de 2011). Provavelmente, em período anterior, ela já havia construído uma tenda considerada por ela mais simples, no local.

47. Alguns desses pais de santo possuíam tendas no interior antes de chegarem à cidade, como seu Zé Preto e Raimundinho. As datas aqui apresentadas são da sua construção no perímetro urbano.

onde vieram muitos pais e mães de santo. Embora a associação entre o espaço das tendas recentes e o incremento demográfico da cidade seja uma hipótese plausível, da qual comunguei, Pedro me disse que o espaço dos fundos do terreno é tradicional da religião na cidade:

> *Porque, na realidade, todos os espaços sagrados, aqui para gente, sempre foram cultuados no fundo de quintais. Dentro de suas próprias casas. Então, quem nunca montou um terreiro, sempre teve seu peji*[48]*, ali em um cômodo dentro da sua casa. E ali a família vai toda se habituando, vai crescendo, vai vendo, termina que tá toda a família. Principalmente em período de festa, que é um corre-corre danado* (Pedro, em 12 de julho de 2011).

Pedro conversava comigo, naquele momento, sobre a entrevista dada pelo pastor presbiteriano ao jornal local, sobre a qual teci algumas considerações no primeiro capítulo – mas sua fala ainda indica outros elementos para além da localização das tendas. Primeiro, o mestre me disse que a família se "*habitua*" à presença do salão próximo à casa e termina, inevitavelmente, participando de suas atividades. Manter uma casa é também fazer/construir uma família (PINA CABRAL; SILVA, 2013), a tenda não foge às dinâmicas e relações familiares. Por isso, como venho dizendo, ela (a família) é partícipe do processo de constituição de um barracão – é uma das ajudas.

A fala de Pedro é também sobre o "*corre*" da festa. Toda tenda da cidade de Codó tem um festejo que homenageia um santo ou um encantado. O tempo da festa, como lembra o pai de santo, é outro do que a rotina do dia a dia. É um tempo com ritmo mais agitado e com muita coisa para fazer. À medida que trazem questões para

---

48. Peji é um termo fon utilizado em algumas religiões afro-brasileiras para denominar o quarto de santo que comporta o altar dedicado às entidades.

pensar o uso dos espaços, as experiências com o terecô, feitas em casas, também permitem pensar diferentes qualidades do tempo, que configuram relações entre ordinário – as atividades rotineiras que acontecem no espaço doméstico – e os momentos de excepcionalidade (ainda que constante) – as festas, quando o ritmo das atividades dos pais e filhos de santo fica mais intenso, como sugere Pedro na citação anterior. Nesse sentido, ser pai de santo e colocar barracão é também possuir uma festa.

Ter uma tenda é ter um festejo

Os festejos são as atividades mais comentadas e enfatizadas pelos pais, mães e filhos de santo quando contam sobre as suas tendas. Eles ocupam lugar central na programação de um barracão e dão ritmo ao calendário dos brincantes. Escolho contar sobre as tendas a partir dos festejos por duas razões. A primeira delas é porque as festas ocupam e transcendem as tendas, pois são realizadas nas casas, pátios, barracões e nas ruas onde moram os mestres. Ainda que seja o mesmo espaço físico das atividades cotidianas, elas implicam uma preparação e organização que fornece ao espaço novas qualidades. A segunda razão é porque uma celebração coloca uma tenda em relação às demais, em virtude das visitas feitas para *"pagar noite"*, ou seja, para devolver uma visita anterior recebida em tempo de festa. Pagando noite os brincantes se deslocam pela cidade.

Cada tenda possui pelo menos um festejo chefiado pelo próprio mestre. Outros menores podem ser da responsabilidade de filhos de santo e serem realizados com o apoio do chefe da tenda[49].

49. É difícil estimar a quantidade de festejos realizados em Codó. Se temos, em média, 250 tendas na cidade e se cada uma delas tiver apenas um festejo de três dias por ano, teríamos cerca de duas tendas tocando tambor por dia. Esse dado é uma suposição, apenas para ilustrar a frequência das festas.

Eles são definidos de acordo com diferentes fatores, que podem incluir a herança familiar (que coloca as relações de parentesco em primeiro plano), a importância do encantado no âmbito do panteão recebido pelo pai ou mãe de santo, uma graça alcançada por intermédio de uma promessa ou o desejo de homenagear algum santo para o qual não se toca na cidade. Em campo, disseram-me que a santa mais celebrada nas tendas codoenses é Santa Bárbara, chefe da Encantaria Maranhense, comemorada no início de dezembro.

Contar sobre os festejos é algo que pode ser feito a partir de múltiplos pontos de vista. Não existe nenhuma festa idêntica à outra – cada casa *"faz de um jeito"* –, contudo, todas têm elementos possíveis de serem generalizados. Muito embora eu procure uma descrição que dê conta de, minimamente, mencionar a riqueza dessas manifestações (presente nas músicas, na decoração e nos trabalhos realizados), abordo os festejos tendo como eixo a utilização do espaço das casas chamando atenção para o barracão como "[...] espaço mobilizador de uma rede de relações que inadvertidamente o transcende" (MOTA, 2009, p. 182). Em virtude desse enfoque, muitos elementos que também poderiam ser analisados (como a relação entre o pai de santo e os santos, orixás e encantados) ficam em segundo plano, pois me interesso aqui por como eles apresentam uma possibilidade de perceber a abertura das casas e tendas para pessoas e encantados, e seu espraiamento na cidade.

Como afirmei anteriormente, os festejos fazem parte das obrigações feitas com os encantados e das promessas aos santos. Em torno deles se organiza o calendário e se pensa o orçamento do ano, pois sua realização exige a articulação de diferentes fontes de recursos e auxílio. Em primeiro lugar, o *"dono"* do evento costuma fazer uma reserva financeira para custeá-lo. Luizinha, por exemplo, guardava, mensalmente, parte da pensão que recebia desde a morte de seu marido para comprar alimentos e o material para decorar a tenda. Contava igualmente com a ajuda dos familiares e parentes que doavam suprimentos, foguetes e velas. Outros pais de santo angariam ajudas instituindo "*noitantes*" – pessoas que em cada noite de evento têm a responsabilidade de ofertar e servir, depois da ladainha, os bolos, o chocolate (feito com chocolate em pó, água e leite de coco babaçu) e o refrigerante. Para além da vizinhança, alguns pais e mães de santo pedem patrocínio em lojas e auxílio por parte dos clientes e políticos, especialmente para custear gastos com o transporte entre tendas em festa.

Fala-se com muito orgulho de um festejo que "*não falhou nenhum ano*" mesmo quando as condições financeiras não permitiam gastos para sua realização. Nas mais de cinco décadas em que Luiza homenageia São Francisco de Assis, o festejo foi realizado anualmente, mesmo quando "*era à luz de lampião e só tinha café para servir para as pessoas*". O seu compromisso era mantido, mesmo diante das adversidades, e ela acreditava que uma alteração nesse cenário só seria possível mediante autorização dos encantados ou uma morte na família. Embora a ausência de recursos não impossibilite pais e filhos de santo de realizar as rezas e os festejos, receber os visitantes em uma casa bonita, com muito bolo, chocolate e refrigerante, é algo para o qual alguém se dedica com extremo esmero, evidente em diversos elementos, como uma nova pintura nas paredes, as pequenas bandeiras coloridas no teto, as toalhas e os arranjos de flores sobre o altar.

Em 2010, cerca de um mês antes do festejo de Luiza, um pintor, rapaz morador do bairro, foi contratado para dar nova cor as paredes da Tenda Santa Helena e desenhar algumas imagens de caboclos de pena e de anjos. Ele ainda pintou o quarto de Sebastiãozinho (o pequeno quarto das consultas) e o letreiro com o nome da Tenda, que fica na parede da cozinha. A decoração foi finalizada com muitas bandeiras de papel colorido – verde, amarelo e branco – que preencheram todo o espaço do teto e as quais nos dedicamos por horas seguidas. A casa de Luiza não é uma exceção. Em véspera de festejo, é comum haver reparos e pequenas reformas nas tendas e casas.

Na igual medida em que os salões são vestidos para a festa, as pessoas se dedicam à costura da roupa nova. A indumentária das giras e dos festejos, para as mulheres, é normalmente composta por blusa e saia. A vestimenta dos homens é formada por calça, camisa ou bata. As roupas variam entre as tendas, especialmente no que concerne aos acessórios que são pedidos pelos encantados e que os personalizam – como os chapéus de couro que são os prediletos da família de Légua Boji. Nem todas as tendas dançam com uma farda padrão (ou seja, com todos os filhos de santo vestidos de forma idêntica). Pelas falas dos interlocutores da pesquisa, tal como destaquei no primeiro capítulo, essa padronização parece ser uma inovação cada vez mais recorrente nas festas da cidade.

A "*noite da roupa nova*" é considerada a mais importante na programação do festejo e engaja pais e filhos de santo e as entidades (embora se diga que "*encantado não se importa com a roupa*"). Meses antes da festa, Luiza confecciona uma amostra da indumentária: uma miniatura da blusa e da saia que as filhas de santo usarão na esperada noite. Ao criar uma imagem reduzida, a mãe de santo permite que ela passe pelo crivo coletivo antes da festa. Na casa de Bita do Barão, quem escolhe a cor da roupa nova do ano seguinte é uma das entidades por ele recebidas em seu evento mais importante, o "*festejo de agosto*". Depois da noite de tambor em sua homenagem, a encantada reúne-se com as filhas de santo e com a diretoria da casa, e informa a escolha da cor da indumentária do ano seguinte. Existem ainda relatos de tendas onde o tecido, a cor e as roupas são mantidas em segredo, para serem reveladas apenas durante a festa (FREIRE, 2015).

A compra do tecido e a costura da roupa são assuntos recorrentes nas conversas que antecedem as festas. Existe uma loja em Codó onde se encontra tecido com metragem suficiente para as saias – o que significa uma quantidade razoável, uma vez que cada uma pode levar, em sua confecção, até oito metros de pano. Ainda assim, ele costuma ser mais barato do que as rendas e fitas mimosas que o decoram. Luiza paga o tecido das roupas das filhas de santo, dos abatazeiros, cabaceiros e do padrinho da tenda, de forma parcelada, nos meses que antecedem o festejo. Essas pessoas, por sua vez, vão lhe pagando o valor das roupas também em parcelas, "*para que não fique pesado para ninguém*". Cada uma delas se responsabiliza pelos encaminhamentos de costura.

Além das pessoas que doam alimentos e bens (como bebidas ou foguetes) necessários para o festejo, muitas se envolvem trabalhando como costureiras, cozinheiras, confeiteiras, rezadoras e instrumentistas. Algumas o fazem gratuitamente, especialmente quando possuem uma relação pessoal com o salão ou são membros da diretoria das casas. Em uma conversa realizada em Morada Nova, o encantado Coli Maneiro lembrava que antigamente não havia o costume de pagar as pessoas que ajudavam na festa, mas que "*Hoje, abatazeiro, pra tocar, precisa ganhar dinheiro. Na época do seu Rei de Espada*[50] não pagava ninguém, hoje paga porteiro, botequim, cozinheira". Para o encantado, e também para muitas das pessoas com as quais convivi, o dinheiro ganhou um peso na atualidade que não possuía no passado, assim como cresceu a importância das roupas novas e da riqueza da festa.

Uma espécie de profissionalização de algumas funções do festejo fica aparente na contratação de abatazeiros ou tamborzeiros. De praxe cada tenda possui o seu tamborzeiro ou um grupo deles para tocar nas festas e também em outras giras e trabalhos. Mesmo assim, durante os dias dos eventos se conta com o auxílio (pago ou gratuito) de músicos de outras tendas, porque o tambor é tocado intermitentemente durante a noite, exigindo maior número de músicos. Alguns deles são muito requisitados nos principais eventos da cidade e conseguem aumentar sua renda com a atividade. Na medida em que se deslocam entre tendas, conhecem pais e mães de

---

50. Encantado recebido pela mãe de santo que antecedeu Zé Willan na chefia da tenda de Morada Nova.

santo, brincantes e entidades, e terminam por aprender os modos de fazer e conviver em cada espaço (BARBOSA NETO, 2017).

Pequenas reformas, decoração, roupas novas, organização das ajudas para a festa, compra de alimentos, contratação de pessoas, feitura dos bolos, entrega de convites, todas estas tarefas antecedem os dias do festejo. Nesses dias, por sua vez, é comum haver uma programação prevista que varia entre as tendas. Para mostrar as diferenças e as semelhanças entre elas, eu opto por discorrer brevemente sobre três eventos que ilustram o que convencionei entender como as formas de organização mais recorrentes entre os festejos da cidade – o que fiz tendo como eixo a quantidade de dias de programação. Nessa perspectiva, existem tendas que tocam tambor apenas uma noite (como na casa de Luiza); outras fazem três noites de tambor, em alguns casos precedidos de seis noites de reza e ladainha (como em seu Zé Preto); e existem aquelas que tocam tambor durante os nove dias de duração do festejo (como na casa de Bita do Barão)[51].

A festa da Tenda Espírita de Umbanda Santa Helena, de Luiza, durava uma noite e era o pagamento de promessa para São Francisco de Assis. A programação começava no entardecer, quando suas filhas de santo se reuniam em sua casa para tomar um banho de ervas preparado pela mãe de santo, que utilizava garrafas compradas em uma loja de produtos de umbanda. Enquanto passavam por esse ritual, os músicos acendiam o fogo que aquecia os tambores. Luiza tinha um par de tambores e enquanto um era tocado, o outro permanecia sendo aquecido em frente à casa, de modo que eram revezados todo tempo. Uma das portas da frente

51. Opto por fazer as descrições no passado em virtude das transformações que as festas e as tendas escolhidas passaram nos últimos anos. Luiza, desde 2017, não realiza seu festejo por causa de mortes de pessoas da família em data próxima à sua realização. Seu Zé Preto e Mestre Bita do Barão faleceram nos últimos anos. Isso não quer dizer, entretanto, que as festas deixaram de ser realizadas e que as tendas não possam ser reativadas, como indico no quinto capítulo.

da residência da mãe de santo permanecia fechada, mas a outra, que dá acesso a um corredor na lateral do terreno, ficava aberta durante toda a madrugada. Por ela, os brincantes e visitantes chegavam à cozinha e ao barracão de Luiza. A única parte da casa na qual ninguém entrava era o quarto de dormir da mãe de santo, que permanecia trancado e onde as filhas de santo deixavam seus pertences pessoais.

A Tenda Santa Helena é uma sala de cerca de quatro por sete metros, acoplada à cozinha da casa de Luiza, nos fundos do pátio. Uma das paredes comporta o altar – composto por um conjunto de artefatos. Nos quatro cantos do salão existem pequenos altares e desenhos que representam pontos das entidades. Dos orixás encontramos apenas uma imagem de Iemanjá. Nos fundos da tenda existe um banheiro e um quarto pequeno, que pertence ao encantado Sebastiãozinho, onde ele realizava consultas. Nas laterais da parte interna do salão e na cozinha, os visitantes, de pé ou sentados, assistiam à gira enquanto sentiam o calor e o rodopiar das saias batendo em suas próprias pernas.

Depois do banho de ervas que purificava seus corpos, as filhas de santo posicionavam-se em semicírculo em frente ao altar, vestidas com a roupa nova e com seus acessórios. A reza do Terço e da Ladainha de Nossa Senhora iniciavam em seguida, conduzida pelas irmãs de Luizinha e acompanhada pelas outras filhas de santo e pelos convidados. Como costumar ser, a ladainha era feita em latim. O ambiente das rezas – tão comuns nas casas e tendas da cidade – era um misto de formalidade e informalidade, já que entre uma entoação e outra, as pessoas conversavam, faziam poses para tirar fotografias e pequenas brincadeiras. As rezas eram muito semelhantes nas diferentes tendas e incluíam o terço, a ladainha de Nossa Senhora e algumas músicas católicas, momento que reunia muitas pessoas que não brincam ou recebem encantados, mas que gostavam de reza e esperavam para ver o início o tambor. A abertura das atividades de uma noite de festejo nos barracões sempre marcava essa relação diplomática com o panteão católico, pedindo a companhia e a proteção de Nossa Senhora, uma vez que as entidades do terecô têm, muitas delas, apreço aos santos.

Depois da ladainha, todos eram servidos com refrigerante e com uma diversidade de bolos (de farinha de puba, de trigo e de tapioca), recebiam lembrancinhas (pequenos objetos de decoração) e eram cumprimentados pelas pessoas da casa que costumavam os receber alegremente. Na festa de Luiza, depois do bolo, o salão era varrido e defumado (ou incensado) para o início do terecô. Tamborzeiro e cabaceiros se posicionavam em lugar de destaque ao lado do altar trazendo o tambor que, em virtude do seu peso, permanecia preso à cintura do músico por uma corda. Na Tenda Santa Helena, os três homens que tocavam tambores e cabaças eram pai e filhos, um deles casado com uma brincante da casa.

A gira principiava quando a mãe de santo da casa entrava caminhando com sua corrente e cantava seu ponto de abertura. Na primeira vez, cantava-se sem o acompanhamento do tambor e das cabaças. Depois da abertura, o tambor era tocado intermitentemente até o amanhecer do dia seguinte, quando se intercalava, especialmente, pontos do terecô e do tambor de mina, que ajudavam a modular o ritmo, as forças e a diversidade de entidades presentes na festa (LAMY, 2016). No tambor de Luiza, com o nascer do sol, era o tamborzeiro quem conduzia os encantados, os brincantes e os visitantes até a rua em frente à casa, local de encerramento do ritual, como acontecia em outros festejos da cidade. Os encantados, que durante a noite permaneciam a maior parte do tempo dentro da tenda, dançavam no meio da rua.

A Tenda Espírita de Umbanda São Domingos, de seu Zé Preto, localizava-se nos fundos do terreno de sua casa, no bairro Codó Novo. Antes de construí-la na cidade, o pai de santo teve pequenos barracões na zona rural. Ele e seus 63 filhos de santo realizavam três festejos durante o ano: em fevereiro tocavam uma noite para Nossa Senhora das Candeias, em agosto, três noites de festa para São Domingos e em novembro celebravam Nossa Senhora das Graças, durante nove noites – seis com rezas e três com tambores. Foi nesse evento, em 2010, que conheci o mestre e seu barracão.

Durante as seis noites iniciais se rezava o terço e a Ladainha de Nossa Senhora. Embora essa programação contasse com a participação do pai de santo, quem conduzia as orações era uma senhora, moradora do bairro e notória *"rezadeira"*. Todas as nove noites, depois de terminar a ladainha, as pessoas permaneciam sentadas no espaço da tenda enquanto eram servidos bolos e bebidas como chocolate e refrigerante. As últimas três noites tinham uma programação mais ampla: depois da reza e do bolo, cada pessoa encontrava um espaço dentro da casa ou do salão para descansar algumas horas para, depois da meia-noite, começar o tambor e acompanhar a chegada dos encantados.

A última noite da festa era considerada a mais importante e, também por isso, era a noite da roupa nova. Nesse dia, no final da tarde, a imagem da santa homenageada saía da tenda do pai de santo, passava por dentro da casa e, conduzida sobre um andor decorado com flores coloridas, seguia em procissão pelas ruas próximas. Ela seguia acompanhada pelos devotos e por músicos, que tocam composições do repertório católico em instrumentos de sopro e percussão. Quando todos retornam à casa de seu Zé Preto, os músicos tocavam o Hino da Umbanda e *"agasalhavam"* a santa novamente no altar da tenda.

Em 2010, no retorno da procissão, a rua em frente à casa do pai de santo estava tomada por um grande número de pessoas. Desde a época em que o festejo de seu Zé Preto era realizado na zona rural, um padre da Igreja Católica Apostólica Brasileira[52]

52. O padre presente na festa de seu Zé Preto também ocupava o cargo de bispo na Igreja Apostólica Brasileira, na Diocese de Viana e São Luís (ambas no Maranhão). A Igreja Católica Apostólica Brasileira foi fundada por um ex-padre da Igreja Católica Apostólica Romana, em 1945.

todos os anos frequentava a festa da casa para realizar batismos e consagrações. Essa participação especial era um orgulho para o pai de santo e explicava, em parte, a quantidade de pessoas esperando o início da missa, vestidas com roupas de festa. Na ocasião, o padre batizou crianças e adultos e realizou as consagrações no meio da rua, local ocupado, logo depois, por uma animada seresta com músicos e dançarinas.

Quando a missa terminou, teve início a seresta: mesas e cadeiras foram espalhadas, o palco já montado foi ocupado pelos músicos e a varanda em frente à casa transformou-se em um bar. Diversas bancas, que vendiam balas e churrasquinho, foram instaladas. Enquanto a seresta começava em frente à casa, dentro dela e na tenda, no fundo do terreno, os brincantes descansavam, dormindo sentados em cadeiras, redes e camas nos quartos. Na cozinha, as pessoas jantavam, lavavam a louça, serviam-se de água.

O descanso marcava a espera pelo início do terecô que, em todas as tendas, tendia a ser demorada. Costumava-se dizer que "*o tambor começa quando ele tem que começar*" – sendo impossível prever o exato momento de sua abertura ou término. Se o início do ritual está "sujeito ao acontecer dos eventos e ao sabor da realização de tarefas necessárias" (PRANDI, 2001, p. 46) para sua realização, parece-me que o controle do tempo e dos horários não é feito totalmente pela agência humana. Na festa de seu Zé Preto naquele ano, já passada uma hora da manhã, os filhos de santo entraram vestidos com suas roupas novas, em silêncio, seguindo o mestre. O tamborzeiros e os cabaceiros, já em seus lugares, aqueciam-se movimentando os instrumentos. seu Zé Preto cantou os pontos de abertura dos trabalhos e recebeu, durante toda a madrugada, a visita de outras tendas da própria cidade e do interior do município. Os abatazeiros e cabaceiros se revezaram, garantindo som até o amanhecer. Depois de nove noites de festa, o festejo se encerrou com o nascer do dia.

O último festejo que apresento é o de Mestre Bita do Barão. A Tenda Espírita de Umbanda Rainha Iemanjá era/é a maior da cidade, tendo cerca de 500 filhos de santo. Luiza e algumas brincantes de sua casa também dançam na tenda. Além de outras giras durante o ano, nessa casa eram realizados dois festejos. No início de dezembro, Santa Bárbara era celebrada com nove noites de reza e toques de tambor nas últimas três noites. Em agosto era realizado o "*Festejo dos Santos e Orixás*", com nove dias de tambor, homenagens a diferentes entidades e visitas de tendas de diferentes municípios.

A Tenda Rainha Iemanjá fica ao lado da casa de Mestre Bita do Barão, que ocupa uma quadra na parte central da cidade de Codó, vizinha ao Mercado Municipal. Na casa moram diversas pessoas, entre elas, antigas brincantes do barracão, a filha e os netos do pai de santo, a presidente da tenda e seus filhos. Pelo local transitam diversos funcionários dedicados ao serviço doméstico (limpeza da casa e cozinha), assim como aos serviços gerais do pátio e da tenda, motoristas, funcionários da loja de produtos de umbanda e também do hotel (empreendimentos localizados na mesma quadra). Além disso, nos quartos do pátio (compartilhado entre a casa e a tenda), era comum ter hóspedes que estavam passando por algum tratamento com os encantados do mestre.

O Festejo dos Santos e Orixás, chamado popularmente de "*Festejo de Agosto*", homenageia um amplo panteão de entidades do tambor da Mata, de Mina e da umbanda. A programação dos dias de festa era exaustiva e muito semelhante àquela das tendas de Pai Aluízio e de Café, com toques para as mesmas entidades. A programação, diurna e noturna, era divulgada por intermédio da rádio e televisão locais, de convites distribuídos na loja de produtos de umbanda do pai de santo, e enviados aos clientes importantes e aos políticos. Para apresentar sumariamente a programação do evento, menciono as principais atividades no quadro que segue.

Programação / Entidades homenageadas

1 º dia	• *Alvorada (apenas para pessoas da tenda e convidados);* • *Grandiosa salva de foguetões;* • *Salva de foguetões e dos tambores em homenagem aos Santos e Orixás;* • *Grande abertura dos trabalhos no ritmo da Mata Codoense.*
2 º dia	• *Obrigação a São Lázaro;* • *Procissão pelas ruas de nossa cidade;* • *Trabalho de cura com Caboclo Ararum;* • *Grandiosa obrigação de São Jerônimo com arreada de Xangô.*
3 º dia	• *Grandiosa e luxuosa obrigação de Tobossa com arreada de Princesas.*
4 º dia	• *Grande passeata pelo centro de nossa cidade;* • *Grandiosa obrigação de São Cosme e Damião com arreada de Ibegê (crianças);* • *Obrigação ao grande guerreiro São Jorge com arreada do Orixá Ogum Militar;* • *Cruzamento das correntes esquerda e direita chefiada pelo Exu Tranca Rua das Almas.*
5 º dia	• *Obrigação ao Mártir São Sebastião, com arreada de Oxossi (caboclos).*
6 º dia	• *Grandioso cortejo pelas principais ruas de nossa cidade;* • *Festa do Bumba meu boi em obrigação ao São João Batista (Xangô Caô).*
7 º dia	• *Grande festa com a realização da morte do boi;*
8 º e 9 º dias	• *Grandiosa festa dançante de encerramento da temporada.*

Quadro 1: Entidades homenageadas na festa da Tenda Rainha de Iemanjá (Fonte: autora).

A abertura do Festejo de Agosto acontecia na manhã do primeiro dia, com uma alvorada marcada pela salva de foguetes, quando eram invocadas as linhas ou correntes das entidades para as quais se tocava durante a festa. A partir desse momento, todos os filhos de santo da casa entravam em obrigação, ficando hospedados na casa do pai de santo, em quartos no pátio ou em uma garagem nos fundos do terreno (onde colocam suas redes). Luiza e suas filhas de santo participavam do evento e enviavam suas malas, com as roupas de festa e as redes de dormir, para a casa de Mestre Bita no dia anterior, usando, para o transporte, um serviço de aluguel de carroça. Elas chamavam a garagem onde ficavam hospedadas de "*rancheria*" e nela colocavam fogareiros, faziam um estoque de comida e estendiam grandes varais, nos quais as indumentárias do terecô eram penduradas.

A programação aberta ao público iniciava à noite, quando Mestre Bita recebia clientes e políticos em sua casa e abria a tenda para a festa. Foguetes marcavam a "*salva*" anunciando o início das atividades da noite e uma ladainha abria os trabalhos. Antes do terecô começar, a animação era garantida pelo forró que tocava intermitentemente e pela venda de bebidas alcoólicas no pátio da tenda. O ponto alto da programação era o início do tambor no "*Palácio de Iansã*", quando entravam, seguindo o mestre, todas as filhas e filhos de santo da casa. Ele caminhava à frente, imediatamente seguido pela mãe pequena, guia e contraguia da tenda. Nesse momento, tendas visitantes eram saudadas. Em 2011, primeiro ano que assisti à festa, os brincantes entraram com a paródia de uma música do cantor Luan Santana (com composição de Dorgival Dantas), chamada "Aqui é seu lugar". A letra, que podemos ver a seguir, menciona diferentes entidades, especialmente Princesa Isaurina e dona Rosa, recebidas pelo pai de santo.

> *Chegou a corrente Mestre Bita do Barão, trazendo caridade, paz e emoção. Referenciando os orixás e guias, trazendo paz, amor e lição de vida.*

> *Iemanjá – águas cristalinas que derrama em mim. Iemanjá – levo oferendas pra te encobrir. Essa é a umbanda do meu coração, que abre nossa esperança e corações.*
> *É o terecô – uma explosão de alegria pra você, viu. É o terecô – encantos do terreiro e o povo feliz. Princesa, Princesa Isaurina vem te convidar, dona Rosa vem pra contagiar, todos os orixás que te rodear.*

Depois da entrada dos filhos de santo, cada uma das tendas visitantes entrava no salão após ser anunciada pela presidente da casa. Elas eram apresentadas por uma referência ao nome do seu pai ou mãe de santo e à cidade de onde provinham. Em 2011, foram recebidas 27 tendas, de 11 cidades do Maranhão e do Piauí. Algumas delas permaneceram hospedadas nas dependências da casa de Mestre Bita durante o festejo, onde também realizavam suas refeições. Nesse sentido, mesmo quando não havia nenhuma atividade no salão principal da tenda, havia pessoas no pátio, caminhando, tomando banho, descansando, comendo e conversando.

Existia uma grande diversidade de atividades e de entidades presentes na festa e opto aqui por não descrever cada um dos rituais em detalhes. Durante a programação tinha destaque a noite da roupa nova, que acontecia no terceiro dia, na "*obrigação de Tobossa com arriada de princesas*". Nessa noite, Mestre Bita do Barão recebia Princesa Isaurina, uma entidade que *vinha* apenas uma vez por ano, quando ganhava presentes e era coroada. As músicas cantadas remetiam às princesas e ao tambor de mina. Outro momento muito comentado na cidade eram as procissões e passeatas realizadas durante o festejo, quando, como mencionarei a seguir, o trânsito e a rotina da cidade eram alterados.

Pagar noite e ocupar a cidade

As festas são o lado mais público das atividades realizadas pelas tendas de terecô e são especialmente para elas que se fazem convites, sejam eles verbais e informais, sejam eles por escrito. Muitas vezes, quando eu desejava conhecer um pai ou mãe de santo, aproximava-me dele ou dela a partir do festejo, quando a tenda estava de portas abertas para uma grande diversidade de pessoas. Era esse o momento de contato também com sua casa e, nesse sentido, acompanhar a comemoração era também compartilhar experiências do ambiente doméstico, como tomar banho com as filhas de santo antes da gira, trocar de roupa e me arrumar nos quartos da residência, ocupar espaço com outras pessoas nas camas e nos sofás repartidos nas madrugadas.

A casa/tenda vive intensamente o festejo – e vive por dentro, sendo ocupada pelos encantados e pelos visitantes. No entanto, os festejos também saem das casas, ocupam a cidade e nela desenham trajetos. Existem diversas formas disso acontecer. Uma delas é a partir das procissões, e diversos festejos as têm incluídas em sua programação. Nelas, os santos que moram dentro das casas, em mesinhas e quartos, são retirados dos seus altares e colocados sobre andores cuidadosamente decorados. Eles seguem, carregados por homens e mulheres, percursos que incluem as principais ruas em torno da casa dos pais e mães de santo, acompanhados por pessoas, encantados, velas acesas, músicas e instrumentos.

Durante as procissões se instaura uma relação diplomática com determinados lugares da cidade, como os templos católicos e os hospitais. Quando se passa em frente a uma igreja, as pessoas fazem o sinal da cruz e aquelas que carregam o andor o colocam em frente ao prédio, como se o santo reconhecesse o espaço. Além desses cuidados, muitos chefes de tenda acompanham, com seus filhos de santo, as procissões das paróquias da Igreja Católica de Codó, os novenários dos seus vizinhos católicos e as romarias em outras cidades e estados do nordeste.

No festejo de Mestre Bita do Barão, sobre o qual escrevi anteriormente, as filhas de santo saem da tenda três vezes, durante os nove dias de evento, para caminhadas e procissões no centro.

Nesses momentos, o trânsito das principais ruas de Codó se altera para a passagem da Tenda Rainha Iemanjá. Comerciantes e clientes saem das lojas para ver a passagem dos brincantes acompanhados pelos tambores da casa, pela banda municipal, por carros de som, foguetes e fogos de artifício. A polícia ajuda a controlar o movimento de carros nas ruas e as motos acompanham os religiosos. Nessas caminhadas, quem se desloca nem sempre é o filho ou o pai de santo, mas uma de suas entidades, que sai da tenda para dançar, para ver Codó e nela ser visto.

Outra forma de ocupar a cidade com os festejos acontece com as serestas, comuns em grande parte das tendas. Nelas, as ruas se tornam pistas de dança e embalam crianças e adultos que, não raro, fazem o trânsito entre as rezas, ladainhas e terecôs. Se as serestas não são incomuns nos diferentes bairros, nessas ocasiões existem encantados que também se divertem ao som das "*sofrências*" e "*arrochas*". Em festejos tradicionais, eles são conhecidos e homenageados pelos seresteiros, que lhes dedicam músicas especiais e agradecimentos.

Além das procissões e das serestas, as ruas das casas dos pais de santo, como demonstro anteriormente, são ocupadas ao amanhecer pelas pessoas e pelos encantados, para encerrar o terecô. Nesses momentos, na despedida, pede-se que as entidades presentes "*subam*" e deixem seus "*cavalos*" descansarem e voltarem para suas residências. Apesar da súplica, é possível que alguma delas permaneça a despeito do fim da programação. Quando voltei, certa vez, do festejo de seu Bigobar no povoado de Santo Antônio dos Pretos, Cabocla Jussara me fez companhia no caminhão que nos deixou no centro de Codó. Na ocasião ela ficou chateada comigo, quando não a reconheci e a chamei pelo nome de quem a "*carregava*", dizendo-me que apesar da roupa que vestia – calça jeans e camisa de um bloco de carnaval –, estava com o chapéu que lhe identificava como encantada e não como médium.

Durante o trajeto que separa a cidade do povoado, Cabocla Jussara veio tomando cerveja e contando histórias, com seu jeito desconfiado e irreverente. Quando chegamos na sede do município, ela desceu da carroceria do caminhão e seguiu para a tenda de Maria dos Santos com uma cliente que teria uma consulta. Eu fiquei a observando se distanciar, imaginando que talvez eu não notasse passar por uma encantada caso a visse na rua. Ali ela me mostrava sua capacidade de transpor as fronteiras entre a Encantaria e o plano dos "*pecadores*", entre um ambiente ritual e outro ordinário. Demonstrava ainda a possibilidade de permanecer na cidade, a despeito do interesse ou do conhecimento das pessoas.

Nesse dia eu retornava de uma "*visita*" ao festejo de seu Bigobar, para onde me desloquei acompanhando a Tenda São Domingos, de seu Raimundinho Pombo Roxo. Quando vão realizar seus festejos, os mestres e suas entidades convidam outros salões para os prestigiarem. Esses mobilizam seus filhos de santo e seguem para a casa anfitriã para participar do ritual, tocando tambor e dançando – somando as forças da casa. Essas visitas são conhecidas como pagar noite ou pagar tambor. A ideia de pagamento remete à métrica da reciprocidade, como me disse, certa vez, Mãe Beata:

> *E tem o festejo da Nilza. E quando terminou o da Nilza tem o do Café, lá em cima. E quando terminar tem o da Teresa Célia, lá em cima, dia vinte e nove de setembro, tudo fazendo terecô. E sabendo que esse povo vem pra minha festa, que são duas noites cheias de gente* [...] *O pessoal vem duas noites, então eu tenho que ir duas noites na casa deles. Se eles vêm uma noite, eu vou uma noite. Se eles vêm duas noites eu tenho que ir duas noites* (Beata, em 07 de setembro de 2011).

Quando uma tenda é visitada por um pai de santo, entende-se que ela se compromete a retribuir o ato por ocasião dos seus festejos. Trata-se de um sistema de dádivas e contradádivas (MAUSS, 2003), no qual as pessoas trocam suas presenças, a dos seus encantados e a força que vem desse encontro. Na dialética entre ser anfitrião e ser visitante, a política que impera é a da equivalência: como lembra Beata, visitas de uma noite são retribuídas com uma noite de participação na festa de outro pai de santo, visitas de duas noites, com duas noites.

Devolver as visitas recebidas movimenta pessoas e encantados pelas ruas da cidade e, em muitos casos, os brincantes se deslocam a pé, à noite, para os terecôs. Caminham usando roupas ordinárias e trocam de vestimenta, em muitos casos, no próprio salão em festa ou nas casas dos vizinhos a ele. Não é difícil reconhecer um grupo que se desloca para um festejo, por causa das grandes sacolas que carregam com as roupas para "*baiar*". Depois que estão vestidos e prontos para o tambor, eles entram no salão conduzidos por seu mestre e caminham duas ou três voltas no sentido anti-horário. São saudados no microfone por uma pessoa da casa, que normalmente faz menção ao nome do pai ou mãe de santo, sua grandeza e a beleza de sua corrente. Ele é então convidado a cantar alguns pontos e não raro aproveita a oportunidade para retribuir as honrarias, afirmando o prazer da visita, a riqueza e a exuberância do evento.

Existe ainda uma rede de visitas entre terreiros de cidades diferentes, quando, além de receber os visitantes no ritual, a casa anfitriã hospeda as pessoas que vêm custeando gastos de divisão de carros, caminhões ou ônibus. Durante a pesquisa de campo, eu conheci pais de santo que deslocavam sua própria família para um cômodo de sua moradia, recebendo os visitantes em quartos e mesmo na sala de casa. Sempre que possível – ou seja, quando existem dinheiro e espaço físico – são construídos quartos e galpões onde os brincantes podem armar suas redes e deixar seus pertences. Essas construções normalmente são feitas de taipa, no pátio da casa/tenda e com o passar do tempo são substituídas por construções de alvenaria.

Além de disponibilizar espaço para as pessoas descansarem e se hospedarem, quem recebe é responsável por oferecer a comida da festa. Além do bolo, do refrigerante e do chocolate, comumente servidos depois das rezas e ladainhas, são oferecidas refeições completas, compostas normalmente de arroz, macarrão, salada, carne de gado, de galinha e de porco. As refeições são preparadas na casa do pai ou mãe de santo, ou em uma cozinha construída para esse fim, no pátio ou mesmo na tenda. Todos esses alimentos vêm da produção da própria família ou da doação de clientes, filhos de santo e vizinhos.

As tendas que se visitam costumam possuir relações anteriores entre si – sejam contatos entre pessoas relacionadas por parentesco de sangue, consideração ou santo, sejam entre encantados de uma mesma família, que mobilizam encontros. Em qualquer um dos casos, como lembrava Luiza, receber tendas visitantes é também aceitar a presença de diferenças no entendimento que fazem da festa. Em sua casa, por exemplo, não se consome bebida alcoólica. Algumas das tendas que a visitavam traziam bebida, pois a tinham como parte constituinte da celebração. Apesar de acreditar que o álcool favorecia a violência e a possibilidade de confusão, a mãe de santo julgava que não era delicado proibir os visitantes de consumirem a bebida.

Além da etiqueta daqueles que recebem, igualmente cuidadosa é a atitude dos pais de santo convidados. É pouco provável vê-los reclamando em algum festejo – pelo contrário, continuamente reafirmam a beleza da festa e a generosidade da casa anfitriã. Nas visitas às tendas nesses momentos, pais de santo – anfitriões e visitantes – trocam considerações elogiosas e honrarias. As frases escolhidas e os adjetivos utilizados reforçam a grandiosidade e a beleza de tendas e das roupas, a abundância da comida e a boa recepção, e garantem a continuidade das relações entre as pessoas e os encantados. Inversamente, criticar a tenda de outro pai ou mãe de santo é algo visto como extremamente ofensivo. Dizer que uma tenda é "*fraca*", que tem "*confusão*", é acusar seu chefe de não cumprir bem suas obrigações para com seus encantados (que então não lhes fornecem força) e de não cuidar dos seus filhos de santo (que não são firmes, não dançam bonito etc.).

Em uma reunião da Associação de Umbanda, Candomblé e Religiões Afro-brasileiras de Codó e Região, pais e mães de santo conversavam sobre a falta de apoio de iniciativas da Prefeitura Municipal, mencionando como conseguiam pouca ajuda com os festejos e também com o transporte para o deslocamento entre as tendas. Diante das colocações sobre o tema, um dos pais de santo presente enfatizou a importância das tendas se visitarem. Lembrou que essa era uma forma de sentirem que seus trabalhos estavam sendo valorizados, pois lhes dava prestígio receber colegas – e, por isso, era importante fazer uma *"festa bonita"*. Fazer uma festa bonita envolve decorar tendas e casas, assim como preparar roupas novas costuradas especialmente para esses eventos. Uma festa bonita também implica ser bom anfitrião, e, dessa forma, ser um bom visitante nas tendas de outros pais e mães de santo.

A tenda é uma referência muito importante para um mestre e para seus filhos de santo. Recordo-me de uma história contada pelo encantado Coli Maneiro, *"recebido"* por seu Zé Willan, sobre um evento que aconteceu no período subsequente à morte da mãe de santo da Tenda Santa Bárbara, em Morada Nova – que foi, posteriormente, assumida por seu *"cavalo"*. Era um festejo em que Coli Maneiro estava presente e conversando com Preta Lima, outra encantada que, incorporada em um senhor conhecido como Zé Buchudo, disse *que "Morada Nova* [a tenda] *ia se acabar. Era pra fechar, não podia mais tocar tambor"*.

O dizer de Preta Lima se relacionava ao momento que a tenda passava, considerado bastante delicado. Ela tinha perdido sua mãe de santo e a chefia estava indefinida. Mesmo assim, alguns *brincantes* insistiam em não deixar que o salão fechasse e, por isso, reuniam-se para tocar tambor. Contudo, sempre que tocavam, alguma pessoa de suas relações falecia – *"sempre morria um"*, como disse Coli Maneiro na ocasião. As mortes aconteciam por diferentes motivos, interpretados pelos envolvidos como associados à situação da tenda. Por isso, era preciso, segundo a encantada, que ela fechasse.

Os filhos de santo do barracão de Morada Nova ficaram muito chateados e ofendidos com o aviso de que não conseguiriam manter seu salão. Em conversa com as entidades, decidiram conservar a casa e convidaram novas pessoas para fazer parte da diretoria. Seu Zé Willan, que até então era tamborzeiro da tenda, tornou-se pai de santo. Segundo ele, com essas mudanças, com o cuidado e proteção dos encantados, Morada Nova não fechou. Para expressar essa verdadeira vitória, Coli Maneiro cantou um novo ponto sobre a tenda, que posteriormente foi gravado por ele e compõe o CD do salão:

Morava Nova é terra que Deus amou
Morava Nova é terra que Deus amou
Ela é da umbanda, ela é de xangô
Morada Nova é terra do terecô.

Reforçando o vínculo de Morada Nova com o terecô – e também com a umbanda e o xangô –, Coli Maneiro ressalta a dedicação das pessoas e dos encantados na manutenção da tenda e lembra que a perder é algo extremamente delicado para os brincantes. A possibilidade de um salão fechar pode estar relacionada à sucessão na chefia da casa (quando, por exemplo, não há continuidade por causa da morte de um mestre e a ausência de um herdeiro ou herdeira), mas também é possível perder uma tenda pela incapacidade de sustentar as suas atividades diante de situações de insegurança fundiária ou das dificuldades econômicas e financeiras encontradas na gestão desses espaços. Não raro, alguns mestres comentam sobre esse risco, mencionando documentos e procedimentos que os impedem de concorrer a fontes de recurso.[53]

53. A maior parte das tendas não possui inscrição no Cadastro Nacional da Pessoa Jurídica (CNPJ), o que as impossibilita de acessar recursos por meio de projetos, por exemplo. Na época da pesquisa, o custo da expedição do CNPJ era de 954 reais, valor considerado alto pelos mestres. A maioria das casas tem, preso à parede do salão, cer-

Apesar de todas as dificuldades, reiteradamente se afirma que os encantados visitam e protegem as tendas, alegram-se com sua continuidade e reafirmam sua importância, como fica evidente no ponto dado por Coli Maneiro sobre Morada Nova como uma *"terra de Encantaria"*. Para os terecozeiros, poderíamos dizer que eles protegem as casas e tendas como antes protegiam as matas do acesso dos policiais e dos senhores de escravos. Luiza, certa vez, lembrou-se de uma situação que discorria sobre a proteção dos encantados em um festejo na sua casa. Nele, um homem conhecido de seu pai entrou no salão com uma faca presa à cintura, com a intenção de furar o tambor e provocar o encerramento do evento. Um dos encantados *"em cima"* de Luiza percebeu o perigo. Para proteger o tambor, ele se aproximou do homem e, abraçando-o, fez com que caísse no sono, ao lado dos tamborzeiros, onde permaneceu até o amanhecer.

A história rendeu fama aos encantados de Luiza que, ao preverem as intenções do visitante, protegeram a tenda com sua força. A mãe de santo desconfiava, entretanto, que se algo semelhante acontecesse atualmente, talvez ela e os encantados não tivessem uma reação tão eficaz. Sentindo-se mais velha e tendo diminuído parte das atividades com as entidades, ela receava ter menos força para manter pessoas perigosas fora de sua casa. Antes, quando cumpria as obrigações com seus encantados, sabia que eles cuidavam e protegiam sua tenda. Como indiquei anteriormente (e volto a mencionar nos próximos capítulos), as capacidades de um pai ou mãe de santo têm relação com a intensidade do seu engajamento com os encantados – pois deles provêm seu conhecimento e eficácia.

---

tificado reconhecendo a tenda. Uma parte deles foi fornecida por Mestre Bita do Barão (como representante da Fundação Maranhense de Umbanda) e outra pela Associação de Umbanda, Candomblé e Cultos Afro-brasileiros de Codó e Região – mas eles não possuem validade legal.

As tendas também são um espaço de força, porque nelas estão guardados os assentamentos dos encantados[54]. O assentamento de um encantado é o conjunto de objetos que o pertencem. Um desses objetos – o mais recorrente deles – é a pedra de encantaria, que costuma ser guardada embaixo do altar ou enterrada dentro do salão[55]. Os encantados sempre visitam os locais onde seus assentamentos estão "*plantados*", sendo incorporados naquelas tendas, ou se aproximando delas como espíritos. Uma amiga, professora na cidade, disse-me que a casa onde sua mãe morava outrora foi uma tenda de religião afro-brasileira. Os assentamentos da antiga mãe de santo permanecem enterrados no local e por isso, constantemente, sua mãe se sentia mal, vendo pessoas e percebendo a presença de espíritos. Contei essa história para Pedro, que me explicou que quando não se retira o assentamento e se faz o despacho dos seus componentes (jogando-os em água corrente ou deixando no meio do mato) "*o que foi plantado ali o dono vem visitar*".

Quando do falecimento de um pai de santo e, portanto, da troca da chefia de uma casa, o assentamento dos seus encantados deve ser retirado e despachado. Os despachos e a remoção das pedras de assentamento não podem ser feitos por qualquer pessoa. Quando removidas contra a vontade ou levadas sem a permissão do pai de santo, elas tendem a retornar para a tenda em que foram plantadas anteriormente. Os moradores de Santo Antônio dos Pretos[56] contam que um pai de santo do perímetro urbano da cidade,

---

54. Nunes Pereira (1947) e Sérgio Ferretti (1996) escrevem que as pedras de assentamento da Casa das Minas em São Luís vieram da África e foram enterradas em várias partes da casa. Em Ferretti (1996), ficamos sabendo que, segundo uma das dançantes da casa, as pedras assinalam o lugar onde acontece a chegada do vodum, que devido a sua força, é recebido apenas enquanto reflexo pela filha de santo.

55. Atualmente, com a prática de colocar lajotas de cerâmica no piso das tendas, pais e mães de santo têm marcado a posição dos assentamentos com algumas peças de cor diferente.

56. Octavio da Costa Eduardo descreve o espaço dos rituais em Santo Antônio dos Pretos, mencionando as pedras de encantaria: "The pavilion where they are given has

certa vez, tentara roubar as pedras de encantaria da localidade, interessado na em sua força. A tentativa, contudo, teria sido vã, pois as pedras retornaram, sem a ajuda das pessoas, ao povoado.

Por meio dos assentamentos e também dos médiuns, os encantados criam uma relação com as tendas e, dessa forma, com as pessoas que as frequentam. Eles possuem a capacidade de se deslocar pela cidade e também pelo mundo – em cima ou carregados pelas pessoas, mas também enquanto espíritos. Nesses movimentos, as casas e as tendas dos brincantes são pontos de encontro – no tempo e no espaço – das pessoas e das entidades. Os festejos celebram os encontros e as parcerias estabelecidas, durante a vida, entre esses diferentes seres. A tenda – sua construção e sua manutenção – é resultado do investimento constante nessas relações. Nesse sentido, a tenda mobiliza sentidos de cuidado e proteção, ao tempo que se espalha, pelo movimento dos encantados, pela cidade. É possível, portanto, conviver com encantados em locais não circunscritos como estritamente religiosos, como a sala de casa ou mesmo uma rua de Codó. Penso que as casas dos pais e mães de santo, ao serem ocupadas pelos parentes, clientes, encantados e suas ações (fazeres, trabalhos e curas), não são apenas domésticas/privadas/femininas, em contraposição ao mundo do público/político e masculino das ruas – dualismo utilizado em alguns textos, especialmente de inspiração estruturalista, para descrever casas e sua utilização (BOURDIEU, 1999; DA MATTA, 1997; HEREDIA, 1979, por exemplo).

Antes dessa opção teórico-metodológica, na escrita optei por mostrar como as possíveis distinções entre público e privado, ordinário e extraordinário, ritual e convivência familiar – tal como os sons, os cheiros, os encantados – borram fronteiras constantemente. Se, tal como apontei no capítulo anterior, as pessoas são

---

a principal room that measures twenty-five by thirty feet where the dancing is done, and another room inside, a sanctuary with the images of a number of Catholic saints and a wooden box in which are kept the sacred stones, that, according to belief, are the 'seat' of the encantados" (1948, p. 61).

resultado das relações que tecem com o mundo, também as casas são constituídas dessas relações. Dessa forma, como compartilham experiências, as casas, as pessoas e os encantados continuam sendo constantemente construídos, refeitos, reformados. O terecô, olhado a partir da casa – que também é mata – combina e compõe pessoas, encantados e barracões.

4. FAZENDO EXPERIÊNCIA

Parte importante das atividades cotidianas de pais e mães de santo, além de um dos aspectos pelos quais eles se tornam conhecidos e procurados, pode ser incluída na categoria *"trabalho"*. Ela é composta por um conjunto bastante diverso de atividades como as consultas, os atendimentos, as rezas e a feitura de banhos e óleos – além de outros procedimentos que não são conhecidos por pessoas sem mediunidade, como eu. Os trabalhos são necessários pois *"todas as pessoas têm problemas"* e precisam ser cuidadas e auxiliadas em assuntos relativos à saúde e doença, às dificuldades financeiras e aos problemas afetivos e de convivência.

O uso da categoria trabalho, entretanto, não deve nos direcionar diretamente à compreensão dessas atividades sob o viés de uma lógica trabalhista. Em Codó se compartilha a ideia de uma contínua disponibilidade dos pais e mães de santo que, diferente de um empregado que trabalha com horário marcado, podem ser procurados a qualquer momento por pessoas com problemas. Não sem razão, suas casas estão abertas para a presença dos conhecidos e desconhecidos, seja durante o dia ou noite; e seus familiares estão necessariamente implicados nas atividades terapêuticas de escuta e cuidado.

Igualmente, convêm olhar com ressalvas ao trabalho como uma relação entre um cliente e um fornecedor de serviço. Ainda que, em Codó, as pessoas que buscam esses "serviços rituais" (OPIPARI, 2009), não sendo familiares ou filhos de santo de uma casa, sejam chamados de *"clientes"*, isso não implica em necessário investimento monetário na relação ou mesmo em uma dinâmica de equivalência entre produtos e pagamentos. O cenário é distinto ao ponto de as ponderações sobre dinheiro serem sempre delicadas e não pré-definidas. Existe, nesse sentido, pais de santo que se orgulham de não terem cobrado por trabalho realizado durante toda sua carreira, como Luiza, que entende que tudo o que possui provém da força dos encantados e relaciona a gratuidade com a "*caridade*", vista por ela como sua função. Por outro lado, existem pais e mães de santo que cobram pelos trabalhos e falam abertamente sobre os preços, mas reconhecem que o dinheiro recebido é investido na sua relação com as entidades. É o caso de Pedro, que ainda que atue gratuitamente com Chica Baiana em determinados casos, normalmente cobra pelas consultas. O pai de santo reconhece a importância do dinheiro nas atividades promovidas por ele – os festejos e as "*farras*" de Maria Padilha – e na construção e manutenção dos quartos de santo. Pedro entende que o dinheiro pertence às entidades e deve ser investido em questões a elas relacionadas. Nesse cenário, existem ainda outras formas de dar um retorno a um mestre, que não passam pelo viés monetário – quando animais de criação, alimentos, velas e presentes são dados como forma de agradecimento pelo cuidado e atendimento.

A maior parte dos pais e mães de santo que recebe dinheiro de seus clientes não possui valores previamente definidos ao diagnóstico do "*problema*" – uma categoria genérica para se referir às diferentes questões que levam alguém a procurar ajuda. Eles definem o valor a ser cobrado de acordo com a natureza do trabalho e ainda considerando outros elementos, como a proximidade da pessoa em relação à casa, as dificuldades financeiras pelas quais passa, a complexidade do que lhe atinge e precisa ser resolvido, o material empregado para realizá-lo e o perigo que ele apresenta. Alguns espaços padronizaram preços – definindo o valor de uma consulta espiritual antes de a realizar – e optaram por agendar sessões de atendimento em um calendário semanal. Nesse caso, o atendimento tem preço definido, mas a feitura do trabalho a partir dele não.

Mesmo com os diversos constrangimentos e com uma etiqueta tida por pais e mães de santo para falar sobre o dinheiro – pois tal como no contexto do candomblé observado por Baptista (2007),[57] ele pode ser visto como um poluidor das relações espirituais –, minha sugestão é ver o dinheiro como mais um ou um dos elementos trocados por clientes, encantados e pais de santo – tal como a saúde, a construção das tendas e os festejos. O dinheiro ainda nos indica alguns aspectos importantes da relação entre as pessoas e os encantados, da organização de uma tenda e das estratégias utilizadas pelos mestres para manterem suas atividades.

Codó ganhou, há alguns anos, notoriedade pelos atendimentos realizados por pais e mães de santo e há quem remeta essa fama à presença de clientes de renome, vindos de outras regiões do Brasil e mesmo do exterior. A maior parte dos atendimentos, entretanto, durante meu campo, era feita pelos moradores do local e dos municípios vizinhos, e não raro, sua procura por um mestre era menos reflexo de uma divulgação midiática da cidade, do que conhecimento familiar e geracional compartilhado. Eram essas pessoas, somadas aos familiares dos chefes das tendas e seus filhos de santo, que, em grande parte, movimentavam-se, cotidianamente, em busca da ajuda dos encantados.

Além disso, importante contextualizar que parte significativa dos trabalhos é realizada entre/em conjunto e não distanciada do cotidiano dos mestres. Muitos deles, nesse sentido, não têm as atividades da tenda como única fonte de renda. Tal como ocorre

---

57. José Renato Baptista observa a relação com o dinheiro no candomblé. A partir de algumas situações etnográficas, escreve que: "Essas situações revelam que no universo do candomblé a presença do dinheiro é um elemento constitutivo das relações. No entanto, ao lado dessa naturalização há também a tensão e o constrangimento decorrentes da ideia de poluição do espaço sagrado da religião pelo domínio interessado do dinheiro. Há de fato uma ambiguidade derivada da ideia de que diversas dimensões existenciais são radicalmente separadas, baseada na crença na existência de esferas de valor relativamente autônomas, como o trabalho, a família, a religião ou a economia" (BAPTISTA, 2007, p. 8).

com os demais codoenses, as ocupações mais comuns entre os pais e mães de santo que convivi quando fiz minha pesquisa estavam ligadas ao meio rural. Colocar linhas de roça em terras de grandes fazendeiros e quebrar coco babaçu eram – e são – importante fonte de recurso na manutenção das casas. Além dessas ocupações, alguns trabalhavam em empresas no perímetro urbano, eram funcionários públicos ou administravam negócios próprios. Pai Aluízio, por exemplo, era, há 30 anos, vigia de uma escola municipal.

Tanto pelo reconhecimento de que as consultas e trabalhos podem lhes proporcionar um aumento de renda quanto pelo desejo dos encantados, existem pais e mães de santo que se dedicam exclusivamente aos atendimentos e trabalhos, não possuindo outras fontes de renda. Essa dedicação exclusiva depende do momento de vida pelo qual passa o mestre. Pedro sempre me falava com muito orgulho das suas atividades como cozinheiro e de como havia se dedicado à sua carreira, fazendo diferentes cursos de gastronomia. Contudo, em 2011, ele deixou de realizar qualquer atividade não relacionada ao "*santo*". Quando lhe perguntei sobre essa mudança, ele me disse que procedera dessa forma porque dona Chica Baiana e Maria Padilha, entidades com as quais mais trabalhava, pediram que assim fosse.

O movimento de pessoas em busca das consultas e dos pais de santo para cuidar dos seus clientes tem visibilidade na cidade. Todos têm uma opinião sobre os atendimentos, tendo ou não participado deles. Por ser o pai de santo mais conhecido de Codó e em virtude da propaganda em torno do atendimento de caridade (feita nos alto-falantes que ficam presos aos postes do centro), Mestre Bita era figura central nesses comentários. A posição das pessoas era ambígua e deslizava entre ponderações sobre sua generosidade e seu ganho financeiro, expresso nos bens que possuía. Para compreender, entretanto, o papel dos atendimentos e dos trabalhos, é importante considerar ainda outro elemento: a possibilidade de ser um chefe de tenda forte é dada pelo cumprimento das obrigações com as entidades, como tenho insistido em afirmar durante os capítulos. O trabalho é visto como parte delas e compreende as rezas, as giras, os toques de tambor, as curas realizadas nas mesinhas, o auxílio aos que têm seus problemas e aflições – ele é, dessa forma, também uma maneira de reforçar os vínculos com os encantados.

Diagnóstico e experiência

A despeito da variedade de problemas que podem conduzir uma pessoa a uma consulta com um mestre, a primeira etapa de todo atendimento é o diagnóstico, chamado de "*fazer experiência*". Ele permite, por exemplo, saber a causa de uma doença, conhecer a razão do término de um casamento, descobrir o que impossibilita alguém de conseguir um emprego. Ou seja, nele se realiza um mapeamento sobre o que acontece "com" ou "ao" cliente. O diagnóstico ainda indica quais são os procedimentos que devem ser seguidos para que o resultado desejado seja alcançado. Só depois dele o pai de santo sabe qual trabalho deve ser feito e, quando for o caso, pode estabelecer o preço a ser pago por seus serviços.

Independentemente de serem ou não realizadas na presença do cliente, são as consultas – onde se faz a experiência – que permitem conhecer a origem da aflição. Nos tratamentos de saúde, as doenças nunca são totalmente entendidas como um acidente e ação do acaso (uma doença como câncer, por exemplo) ou hereditariedade (como casos de problemas de saúde mental poderiam ser explicados). Elas são antes resultado da ação de alguma configuração particular de forças, que envolve diferentes atores, pessoas, encantados e "*espíritos ruins*". É sobre essa configuração que o curador e seu encantado devem agir, negociando o distanciamento de seres que causam prejuízos à vida das pessoas e/ou desfazendo um trabalho feito para prejudicar o cliente.

Pelo que pude entender em campo, os mestres trabalham de três formas diferentes: podem estar incorporados, podem estar "*puros*" ou podem alternar sua condição em uma mesma situação. Em Codó, existem posturas variadas em relação a essas três maneiras de atuar. Pedro me disse que sempre trabalha incorporado, pois quem conhece o que deve ser feito e como os procedimentos devem ser elaborados não é ele mesmo, mas seus encantados, de forma que são eles próprios que trabalham. Há pais de santo que costumam fazer os atendimentos sem receber seus encantados. Quando perguntei sobre isso para seu Raimundinho, ele me disse que ele mesmo realizava as consultas e diagnósticos, porque tinha o "*dom da visão*", o que lhe permitia, quando fazia experiência, ver o que acometia ao cliente.

De maneira geral, quando algum cliente procura um mestre para realizar um diagnóstico ou "*encomendar um trabalho*", a primeira coisa que o pai ou mãe de santo faz – ou deveria fazer, como concordam eles mesmos – é consultar os seus encantados. Esse ato demonstra a responsabilidade e a seriedade do médium, que humildemente reconhece que são os seus guias que possuem poder para agir e não ele próprio. Sua autorização é vista como essencial para que se aceite um cliente, como me explicou Luiza: "*Minha filha, se você chegasse a mim, procurando ajuda, eu nunca ia dizer que eu ia resolver o teu problema. Eu sempre ia dizer que "vamos ver o que Deus tem pra ti". E consultava os espíritos pra saber o que fazer pra ti. Se era vela, se era oração...*" (Luiza, em 11 de agosto de 2011). Seu João Tavares aprendeu com sua avó que

> *Se der pra fazer faça, se não, não. Não dá pra dizer antes. Não, porque eu ainda não estudei seu subconsciente* [...] *Eu fiquei com aquilo que ela me disse* [a avó] *"Não se preocupe, tenha fé em Jesus Cristo e no santo. Tenha fé em Jesus Cristo e nos seus orixás"* (João Tavares, em 03 de setembro de 2011).

Para seu João Tavares, *"Estudar o subconsciente"* é pedir ajuda aos encantados e compõe parte daquilo que se chama de fazer experiência. Embora o uso dessa expressão seja corrente, seu sentido não é algo idêntico em cada tenda da cidade. Cada pai ou mãe de santo – e também cada encantado – tem sua forma de fazer experiência, ou seja, de estudar, ver e analisar a situação do cliente. Seu Raimundinho Pombo Roxo também utiliza da experiência que aprendeu com seu encantado, mas me explicou de outra forma:

> *Essa experiência eu faço assim* [...] *ponha sua mão aqui que eu quero ver. Você diz que quer uma cura, eu olho aí e eu sei. Eu caço bem aqui* [no pulso] *aí se eu ver, eu faço; se eu não ver, não dá pra mim. Sem eu perguntar* [para os encantados] *eu não faço. Se eu ver, pode demorar um monte, mas funciona. Se eu não ver, não faço não* (Raimundinho, em 06 de setembro de 2011).

Em algumas tendas, se o pai ou mãe de santo foi preparado no candomblé – como na casa de Café, Mãe Beata e João Tavares –, o jogo de búzios também faz parte das consultas e funciona como elemento importante no diagnóstico e mapeamento da razão da aflição e da possibilidade de efetivação do trabalho. Esses mestres jogam búzios porque foram autorizados a fazê-lo pelos seus próprios pais de santo, que lavaram seus olhos e ouvidos para que tivessem *"visão"* no jogo. O jogo de búzios não se confunde com a *"experiência"*, mas ambos são formas de perguntar, de indagar as entidades.

> *Tem que ver, senão usa o búzio. O búzio você joga o que quiser. Porque tem que lavar a vista pra ver. E o ouvido pra escutar. O pai de santo lava o ouvido da pessoa e os olhos. Bota remédio que é para poder enxergar o que está vendo, o que está acontecendo no búzio, que é para poder falar. É que nem a experiência. Na experiência é a mesma coisa, para saber o que acontece com*

a vida da pessoa. Só que experiência aqui para mim é assim: é vinte e quatro horas. Porque eu faço uma experiência hoje que pode só dar resultado amanhã. No jogo de búzios não. Na hora que você joga o orixá vai responder o que vai acontecer na vida daquela pessoa (Beata, em 07 de setembro de 2011).

Na chave geral, a composição dos trabalhos envolve elementos disponíveis localmente, como rezas e velas, banhos e garrafadas. A forma de utilizar esses elementos, a quantidade deles, o período de tratamento, entretanto, varia entre os casos atendidos. A feitura das garrafadas envolve um conhecimento importante na utilização de ervas e raízes, que é compartilhado por alguns chefes de tenda, mas também por raizeiros, "*cientistas do mato*" e rezadores. Elas se destinam à cura de problemas de saúde e ao acompanhamento de pós-operatórios. Mestre Bita era um dos pais de santo que detinha o conhecimento das plantas utilizadas na preparação desses remédios. Seu conhecimento das combinações e dos ingredientes, tal como a mediunidade, era visto como um dom de nascença.

Os banhos podem ser preparados nas casas dos pais de santo, com ervas presentes nos seus quintais ou comprados em lojas que vendem produtos de umbanda e terecô. Na loja de Mestre Bita, os banhos são feitos no "*laboratório*", como é chamado um local que fica na parte de trás do prédio. As garrafas de banho têm meio litro e seu uso segue a prescrição do pai de santo. Toda demanda, desejo ou tipo de trabalho exige um banho e para todo banho é possível executar uma composição. Seus nomes podem ser metáforas ou pequenas composições que sintetizam suas funções, como "*Pega e não me larga*", "*Chora nos meus pés*", "*Talismã do Emprego*", "*Quebra barreiras*", "*Afasta espíritos*", "*Pega freguês*", "*Mau-olhado*", "*Talismã da Sorte*". Outros banhos têm nomes cuja relação com o problema do cliente é menos evidente, como o "*Sete Mistérios de Codó*". Cada um deles opera a partir da "*irradiação*", ou seja, da força de uma entidade específica, tida como especialista na "área" do problema.

A cura por intermédio das garrafadas e dos banhos conta com o conhecimento dos encantados e sua fórmula pode ser dada por eles mesmos. Uma filha de santo de seu Raimundinho teve, há poucos anos, um acidente vascular cerebral e permaneceu com algumas sequelas. Em uma festa na casa do pai de santo, um dos seus encantados (Lourenço Légua) foi por ela recebido, mas pediu para incorporar em outra pessoa, pois queria conversar e lhe dar um recado. Isso feito, passou a dar uma receita de remédio (garrafada) a ela, que envolvia elementos diversos como couro de guaxinim e raposa, semente de girassol e vinho moscatel. Explicou, posteriormente, os procedimentos, a quantidade e o tempo de preparo de cada etapa de feitura do composto.

Os encantados podem ainda utilizar outros métodos de cura, como o fazia Supriano da Trindade, encantado recebido pelo pai de santo Café. Seu Jacaré é um afamado tamborzeiro que frequenta diversas tendas, pois é contratado para tocar em festejos, mas que tinha um vínculo especial com a tenda desse mestre. Certa vez foi tocar em outra cidade, acompanhando o "*pagamento de uma visita*". Sendo um excelente músico, despertou a inveja de pessoas desconhecidas e percebeu algo diferente logo que retornou para sua casa: seu olho começou a doer e nada que fizesse diminuía a aflição. Foi então consultar com Supriano, que lhe garantiu que alguém lhe provocara o mal porque invejou o seu "*ritmo de tambor*", causando o problema no olho. O encantado então utilizou da sucção para expelir os bichos que estavam causando a dor em seu Jacaré e ele imediatamente começou a melhorar.

Nesse atendimento, o diagnóstico e o trabalho foram realizados paralelamente, levando à cura do doente. Mas outros problemas, como disseram Raimundinho e Beata, podem demorar muito para seu desfecho. Segundo os pais e mães de santo, não é possível antever o tempo que um trabalho leva até alcançar seu sucesso e por isso não se deve fazer promessas sobre sua realização. Aspectos como o tempo e os procedimentos realizados em cada um deles são contextuais e, por isso, uma das formas de os conhecer é compreender casos específicos que nos indicam como acontece a dinâmica dos atendimentos realizados em Codó – por isso, na sequência do capítulo, opto por contar três experiências relacionadas aos trabalhos que conheci durante a pesquisa de campo.

A agência dos "clientes" e o tempo da doença

Em dezembro de 2010, Luiza me convidou para um terecô. Quando cheguei, ela estava acompanhada de suas filhas de santo e vizinhas, sentada nos bancos em frente à casa. Junto às pessoas conhecidas, havia uma mulher e uma criança de pouco mais de 10 anos, que não frequentavam a tenda. Durante a noite eu soube que eram mãe e filha, e tinham parentesco com uma pessoa das relações de Luiza. O tambor daquela noite era parte de um tratamento mais extenso, que vinha sendo realizado pela mãe de santo para ajudar a menina que apresentou dificuldades para falar. O problema a afastou da escola e a aproximou de diferentes médicos que não conseguiram diagnosticar sua causa. Depois de passado um tempo doente, ela foi levada até a mãe de santo, que lamentou a demora em ser procurada, pois a passagem do tempo tinha deixado a doença mais forte.

Luiza, quando procurada pela família, passou algumas semanas acendendo velas e fazendo rezas para saber mais sobre o caso, até que pediu que viessem à sua tenda. Naquela noite, a gira teve início com alguns pontos cantados, convocando a vinda das correntes dos encantados. A mestre trabalhava com seu João da Cruz[58], encantado da linha de cura. As filhas de santo também receberam suas entidades, de forma que havia um conjunto delas presente.

---

58. No levantamento realizado por Mundicarmo Ferretti (2000a) sobre as entidades recebidas nas tendas de São Luís, João da Cruz aparece como jovem, citado na lista de voduns, orixás e gentis da Casa de Nagô, uma das casas de religião mais antigas da cidade, fundada em meados do século XIX. Na Casa Fanti-Ashanti, também em São Luís, é mencionado como da família do Rei da Turquia.

Diante da dificuldade daquele tratamento – já que o tempo tornara a doença mais forte –, os encantados das filhas de santo também foram chamados para ajudar. Entre rezas, velas e giras, havia uma colaboração dos santos e encantados, para a cura.

Depois de alguns pontos, a menina foi retirada do centro da tenda. Seu João da Cruz terminou a gira se despedindo cuidadosamente das outras entidades, pedindo que subissem deixando seus cavalos fortes e que não se esquecessem de cumprir o seu acordo, para que a cura acontecesse. Em seguida, ele também se despediu e Luiza terminou com uma oração, desculpando-se por qualquer erro que acontecesse durante o tratamento. A mãe de santo suplicou que os encantados lhe dessem força no prosseguimento da cura que, segundo ela, viria com o afastamento de espíritos ruins que rondavam a família em virtude de um trabalho realizado para prejudicá-la. A gira era um trabalho no qual os encantados buscavam afastar esses espíritos. Velas, banhos, garrafadas e as conversas com seres diferentes, nesse e em outros casos, tentam fazer uma conexão com quem ou o que causa a aflição, para que se chegue a um acordo.

A situação vivida na casa de Luiza traz questões que considero importantes para pensar o movimento dos clientes, a força e os limites da ação de pais de santo e encantados. No caso, a família da criança estava relacionada com a da mãe de santo e por essas relações de parentesco, elas se aproximaram. Sejam os clientes familiares ou visitantes desconhecidos, todos chegam a Codó por intermédio de alguma relação: vêm à cidade porque algum parente já consultou antes ou por causa de indicação de amigos e vizinhos que já estiveram no local em busca desses serviços rituais. Os relatos de parentes e amigos amparam e compõem o sentido da experiência, estejam eles relacionados a eventos recentes ou memórias antigas. Lembro de uma mulher de meia idade, proveniente de uma cidade próxima, que se deslocou para Codó a fim de realizar uma consulta com um mestre. Ela procurou o atendimento porque recordou que sua avó tinha feito o mesmo deslocamento, para curar "*a loucura*" de um de seus filhos, muitos anos antes. Ela era ainda criança, mas registrou em sua memória a mudança de comportamento do tio. Anos depois percebeu que poderia procurar ajuda, com o mesmo pai de santo, para resolver um conflito com sua vizinha.

A menina que chega à casa de Luiza junto à sua mãe é trazida por essa rede de relações de parentesco e amizade. Buscar a cura – a resolução e o enfrentamento dos problemas – é, nesse sentido, um fenômeno coletivo, algo que *"se caça"* com a ajuda das pessoas próximas. Há, portanto, uma dimensão relacional que marca a procura e que conecta as pessoas no presente e no passado. Efeitos dessa busca podem também alcançar o futuro e desenhar uma nova relação com a tenda, quando, por exemplo, um cliente se torna um filho de santo de uma casa ou, pelo menos, alguém que participa constantemente das suas atividades, conhecendo os encantados, visitando e contribuindo com as festas, compartilhando do dia a dia dos pais e mães de santo – tornando-se familiar, como escrevi anteriormente.

Há também uma dimensão relacional no âmbito do trabalho, em que colaboram pais e filhos de santo, encantados e clientes. Apesar de toda a colaboração, a gira na casa de Luiza mostra que o tempo também tem agência sobre a doença, deixando-a mais forte. Para falar sobre a influência do tempo no agravamento dos problemas, é importante compreender que ele complexifica a distinção entre trabalhos percebidos como simples e trabalhos visto como complicados. Os primeiros são realizados corriqueiramente por pais e mães de santo. Eles dificilmente são cobrados e estão associados à esfera da caridade e da saúde popular. Consistem, basicamente, em *"benzer inocente"* e curar doenças comuns que atingem especialmente as crianças, como os casos de *"quebranto"* e *"vento virado"*[59], que são atendidos tanto por pais de santo quanto por benzedeiras que não são, necessariamente, médiuns.

59. Quebranto é uma forma de se referir ao mau olhado. Vento virado é quando a criança fica com o abdômen inchado, com cólicas. Ambos são produzidos, normalmente, pela inveja de pessoas conhecidas, seja por causa da beleza ou saúde da criança, seja para atingir sua família.

Em diversas situações, quando nos sentávamos com Luizinha em frente à sua casa (onde ela costumeiramente está), pessoas que passavam pela rua exigiam que seus filhos lhe pedissem a benção. Permanecendo sentada, Luiza estendia o braço, pegava um pequeno ramo verde de árvore e com ele fazia o sinal da cruz sobre a criança, rezando algumas palavras incompreensíveis para nós que a assistíamos. As frases em tom baixo e de forma *enrolada*, melodicamente pronunciadas, mantinham seu caráter eficaz (TAMBIAH, 1985). Luiza executava os movimentos como se fossem corriqueiros e simples, coisa que, na verdade, não deixavam de ser. Encerrava com "*Vai com Deus*" e as pessoas seguiam seu caminho. Também adultos lhe pediam a benção, porque não se sentiam bem ou porque ali passavam se deslocando para algum compromisso importante. Ir ao banco buscar uma quantia significativa de dinheiro ou estar a caminho do hospital para visitar algum familiar eram motivos para pedir proteção.

A simplicidade do ato do benzimento esboça também uma hierarquia das curas e atividades desempenhadas pelos pais e mães de santo. Tanto Luizinha quanto alguns de seus encantados, quando queriam repreender suas filhas de santo, diziam que elas "*não sabiam nem benzer inocente*" e com isso afirmavam que não aprenderam nem o mais básico para se tornarem curadoras. Tratamentos complexos costumam ser mais longos e são compostos de diferentes trabalhos e sessões de cura, quando o cliente pode permanecer em tempo integral na casa do pai de santo ou a ela retornar diversas vezes. Exemplos de tratamentos difíceis incluem pessoas que inicialmente não conseguem se levantar, mas depois saem caminhando; pessoas agressivas que chegam amarradas e são liberadas das contenções; pessoas com a saúde prejudicada e que voltam a se sentir bem. Trabalhos complexos são aqueles nos quais a transformação na situação do cliente é visível e define um antes e um depois do tratamento.

Ainda que seja possível pensar em uma maior simplicidade ou complexidade dos casos e motivos de atendimento, a aparente banalidade de alguma doença e a simplicidade dos procedimentos ganha outra perspectiva quando relacionadas à dimensão do tempo. Problemas simples podem, dessa forma, transformar-se em complexos, tornando-se crônicos e mesmo fatais. O tempo pode deixar a eficácia do pai de santo inoperante ou mais fraca – a ponto de uma doença simples, como quebranto[60], nunca ser totalmente curada; ou de o vento virado levar uma criança à morte. Luiza estava seriamente preocupada com o problema da família que a procurou, especialmente em virtude da passagem do tempo que potencializou, no seu entendimento, a ação negativa e fez com que a doença crescesse exponencialmente na menina.

A relação entre os pais e mães de santo e as pessoas por eles atendidas é continuamente perpassada por preocupações diferentes em relação ao tempo. Elas interpelam, recorrentemente, sobre quanto tempo é necessário para perceber o resultado do trabalho encomendado. Embora alguns pais de santo façam estimativas sobre o período que possivelmente irá transcorrer entre a primeira consulta e o resultado, muitos deles reconhecem ser impossível precisar essa informação. A incerteza em relação ao tempo de tratamento ou de feitura de um trabalho está relacionada, provavelmente entre outros elementos, com a imprevisibilidade das negociações mediadas pelo mestre com outros seres – humanos e não humanos. Durante a realização do tratamento, podem aparecer outros sintomas, pois as consultas e os conselhos servem menos como "resposta a uma questão do que [como] uma aposta para a continuação de uma estória que está se abrindo" (CARDOSO, 2009, p. 38) e que pode apresentar desdobramentos múltiplos – fazendo as pessoas voltarem para novas questões e indagações ou acompanharem familiares e conhecidos até as tendas.

60. Um desses casos aconteceu com Domingas, irmã e filha de santo de Luiza. Quando era criança, ela foi vítima de quebranto, porque tinha olhos muito bonitos. Os pais de Domingas demoraram alguns dias para procurar um curador e, em virtude da demora, seus olhos nunca curaram completamente.

Essas situações também mostram que a agência dos clientes na busca de solução para os problemas é fundamental para sua cura. Maria Bastos e Sebastiana, filhas de santo de Mestre Bita, conversaram comigo, certo dia, sobre problemas domésticos e de saúde. Sebastiana falava de um problema no joelho e de um irmão do interior que estava em sua casa porque precisava fazer uma cirurgia. Perguntei, na ocasião, se ela consultaria um encantado para ajudá-la e ela confirmou que já tinha feito isso, mas "*não é só pedir, também tem que usar a cabeça. Devagar eu vou resolvendo as coisas por lá*". Maria Bastos concordou com a amiga, dizendo que havia a "*inteligência de cada pessoa*" para resolver seus problemas; e ela deveria ser utilizada de forma conjunta à busca pela ajuda das entidades. Nesse sentido, é evidente que os encantados têm possibilidades de ação que estão além do poder das pessoas, porque conseguem resolver problemas que não poderiam ser desmobilizados apenas por elas, contudo, as situações não podem ser delegadas à sua total responsabilidade. A dinâmica das consultas chama atenção para a composição de elementos que constituem a busca das diversas formas de solução de um problema.

"*Problemas*" e itinerários terapêuticos

Entre as diferentes consultas realizadas na cidade, a mais popular e conhecida era a realizado pelo Caboclo Ararum, encantado da linha de cura de Mestre Bita do Barão. Ele trabalhava gratuitamente nas quartas-feiras, no período da tarde, no "*atendimento de caridade*", no consultório da loja de produtos de umbanda que pertencia ao pai de santo. Eu estive diversas vezes no atendimento, conversando com os funcionários, com os clientes e com as filhas de santo que auxiliavam na reza e na assistência. Algumas vezes, eu ficava até o término da fila, para conversar com o Caboclo. Contava-se que, certos dias, havia mais de 100 pessoas aguardando o atendimento. Nas vezes em que estive na loja, a média era de cerca de 30 pessoas, bastante distintas em termos de geração, procedência e renda.

O atendimento de caridade tinha uma dinâmica diferente das outras consultas. Nas manhãs de quarta-feira eram distribuídas as senhas que indicavam a ordem da recepção das pessoas à tarde. Algumas delas, especialmente as que vinham do interior e de outros municípios, permaneciam horas na própria loja esperando o início da sessão. Ficavam no interior do estabelecimento, em uma área entre o balcão e a porta que leva ao consultório do pai de santo (um espaço de cerca de $35m^2$), onde eram dispostas cadeiras de plástico com os números das senhas. Enquanto esperavam atendimento, pessoas da cidade e visitantes conversavam e confidenciavam os motivos que envolviam sua procura de ajuda. Aqueles que vinham pela primeira vez faziam perguntas a quem já conhecia a dinâmica do local, especialmente às filhas de santo e aos funcionários. Elas tinham um papel importante na espera pela consulta, pois conversavam e acalmavam os clientes. Eram ainda diversão garantida, pois promoviam brincadeiras jocosas com os rapazes que trabalham na loja e histórias engraçadas que cativavam a audiência.

As consultas iniciavam em torno de duas horas da tarde, mas havia variações significativas de acordo com a presença de clientes com consultas pagas, que eram atendidos antes da sessão de caridade[61]. Existiam algumas regras que deveriam ser seguidas: os homens não podiam entrar vestidos de bermuda (se acontecesse, os rapazes da loja providenciavam uma calça para emprestar); no consultório se permanecia com os pés descalços; e era preciso participar da reza conduzida pelo mestre, no momento imediatamente anterior ao início do atendimento particularizado. Mestre Bita costumava dizer, nesse momento, que *"todas as pessoas tinham problemas"* e

61. Em um dos atendimentos de caridade do qual participei, uma mulher reclamou da demora do início (em virtude dos atendimentos particulares). Ela, contudo, não reclamou da organização do serviço, mas dos clientes pagantes que, para ela, deveriam procurar as consultas em outros dias da semana, afinal, havia apenas um dia de atendimento "para os pobres".

que *"deveriam procurar ajuda"* para resolvê-los – tal compreensão era compartilhada pelas pessoas de sua casa que entendiam que qualquer pessoa tinha questões que poderiam contar com os encantados para resolução.

O pai de santo vestia calça e blusa na cor branca ou marrom (em época de São Francisco) e uma guia amarela no pescoço. Permanecia dentro do consultório, uma sala cuidadosamente organizada que lembrava as preocupações estéticas da casa e do hotel, todos com decoração semelhante. Nela havia fotografias suas e de seus familiares, em viagens internacionais e em festejos de sua tenda; ou ainda ao lado de políticos conhecidos, atores globais e músicos de sucesso na região. Nesse espaço, ele recebia Caboclo Ararum, que anunciava sua chegada tocando um maracá e, posteriormente, uma campainha, para indicar o início das sessões de atendimento.

Cada cliente era chamado pelo número de sua senha. Mulheres com crianças pequenas ou pessoas muito doentes tinham prioridade. As consultas não possuíam um tempo determinado, demoravam de acordo com cada caso. No final de cada uma delas, Caboclo Ararum tocava a campainha e pedia para um funcionário da loja escrever a receita: um papel timbrado onde se descrevia os procedimentos e materiais necessários para o tratamento[62]. Normalmente eram produtos que poderiam ser comprados na própria loja, como banhos (elemento mais vendido), garrafadas, velas, perfumes, mas a receita também poderia incluir chás e mesmo remédios de farmácia, como analgésicos e anti-inflamatórios.

Com a receita em mãos, muitas pessoas faziam as compras sugeridas já no final da consulta. Quem estava sem dinheiro ou não pretendia seguir o diagnóstico sugerido pelo Caboclo, deixava a

62. É possível ver que existe um cuidado com as receitas, tanto por parte dos clientes como dos funcionários da loja. Por exemplo, se alguém esquece sua receita, os funcionários guardam-na no cofre, esperando que venham buscá-la. Lembro-me de um senhor que esteve no atendimento de caridade mais de uma vez e, para cuidar de sua receita, mandara plastificar a pequena folha, evitando que se estragasse.

tenda sem levar nada. Aqueles que se engajavam com o tratamento, tendiam a retornar semanas depois para lhe dar continuidade, resolver novos problemas ou trazer familiares e conhecidos. Costumam ainda regressar nas festas promovidas pela tenda do pai de santo, quando participam de rezas, benzimentos (ou "*passes*") e rituais da programação do festejo – momentos que poderiam fazer parte do tratamento prescrito pelos encantados. Entre eles, havia um momento particularmente especial, o ritual de cura feito por Caboclo Ararum na segunda noite do "*festejo de agosto*", considerado, pela própria entidade, um trabalho para pensar na saúde, nos familiares, na paz e na luz, um pedido de "*proteção nessa vida que é muito difícil*".

O atendimento de caridade e os encontros mobilizados a partir dele dão uma ideia do movimento em torno das consultas e dos trabalhos. Na maior parte do tempo, isso implica no deslocamento físico das pessoas, mas, algumas vezes, a realização de uma consulta não carece da presença física do cliente, que pode ser atendido pelo telefone ou por intermédio de uma terceira pessoa que porta um objeto seu, como um documento de identificação ou uma peça de roupa. Caboclo Ararum era conhecido por sua capacidade de diagnosticar doenças a partir de peças de roupa trazidas para suas consultas, como vi acontecer com um caso de pneumonia, em um dos seus atendimentos de caridade.

O pai de santo João Tavares teve um diagnóstico feito por contiguidade quando era jovem e vivia em São Luís, capital do Maranhão, como mencionei brevemente no segundo capítulo. Em período próximo à morte de sua avó, seu João começou a se sentir mal e enviou uma camisa sua, do Flamengo – time para o qual torcia – para uma mãe de santo. O diagnóstico a partir dela não deu certo, segundo eu soube, porque não era possível fazê-lo com uma camisa de time de futebol. Seu João então enviou, por intermédio da mesma pessoa, outra camisa que lhe pertencia. Nessa segunda tentativa, a senhora consultada mandou lhe avisar que o motivo de sua doença era sua mediunidade e havia chegado a hora de se tornar pai de santo.

A aproximação entre mestres e clientes, em certos casos, acontece também por telefone. O conhecimento da tecnologia por parte das entidades – que sabem usar campainhas, relógios, aparelhos de DVD – é criticado por algumas pessoas, especialmente aquelas que convivem pouco nas tendas, e visto como sinal de descrédito e não veracidade de suas ações. Entretanto, nos salões, não notei a apropriação de tecnologias ser vista como um problema. Como os encantados são também contemporâneos, eles continuam acumulando eventos em sua trajetória, prosseguem aprendendo novas coisas e se atualizando.

A despeito das diferentes formas pelas quais se realiza as consultas, como lembra Luiza no trabalho anteriormente narrado, o poder dos mestres e dos encantados não é ilimitado e, muitas vezes, eles sugerem aos clientes que somem ao tratamento que fazem nas tendas outras formas de cuidado e acompanhamento. Ouvi tanto de Bita do Barão quanto de Mãe Beata que parte de seu atendimento pode ser a indicação da ida a um médico. Contando-me sobre a situação de consulta, a mãe de santo me mostrou a possibilidade de colaboração entre os dois especialistas:

> *Daí a pessoa vai dizer, no começo, como é que sente. E você vai observar o búzio para saber se é certo ou se não. Aí se tiver um problema de médico, se a pessoa está doente, o orixá mostra aquele problema que ele trata, aí ele mostra aquele problema que é o médico que trata, o doutor. Aí se faz o trabalho para a pessoa, para limpar o corpo e o médico poder encontrar a doença* (Beata, em 07 de setembro de 2011).

A medicina e a consulta com pais de santo, sugere Beata, não são duas formas de atendimento opostas, podendo funcionar de forma conjunta. Em outros casos, a ida ao médico serve para confirmar o diagnóstico dado pelos encantados. Luiza, na consulta de uma adolescente da família de uma das suas filhas de santo, descobriu que o problema que a atingia era tuberculose. Não me disse quem ou o que tinha causado a doença, mas quando começou o tratamento sugeriu que a menina fosse levada ao médico para ratificar a análise e tomar, paralelamente, os remédios.

Os médicos aparecem nas lembranças dos mestres sendo procurados por seus familiares quando eles apresentaram os primeiros sinais de mediunidade. Foram alguns deles que reconheceram que a situação não era *"problema de médico"*, mas algo de cunho espiritual que exigia outros cuidados – quando fizeram o caminho inverso àquele sugerido pelos pais e mães de santo, sugerindo a procura de especialistas diferentes. Alguns, inclusive, indicaram tendas de pais e mães de santo para o paciente e sua família, como aconteceu com Teresinha (ver segundo capítulo). Dessa forma, os brincantes frequentam consultórios médicos, postos de saúde e hospitais da região de forma paralela aos tratamentos realizados nas tendas. Tanto eles quanto os clientes acionam diferentes formas de atendimento e cuidado, desenhando trajetos de um "itinerário terapêutico" (LANGDON, 1994). Nesse sentido, a busca de tratamento de uma doença ou aflição revela um "percurso complexo entre diferentes serviços terapêuticos" (RABELO, 1993, p.316) que relaciona tendas, hospitais, igrejas e casas. Muitas das informações trocadas por aqueles que aguardavam a consulta com Caboclo Ararum eram sobre esses itinerários e seus efeitos na vida uns dos outros – utilizar-se deles era algo visto positivamente, como parte do desejo de resolver um problema, e não como sinal de descrença quanto a uma forma particular de tratamento.

Se as pessoas se deslocam entre diferentes ofertas de serviços e os mestres aparecem como importantes nesse itinerário, é possível que os atendimentos e trabalhos coloquem também os encantados, as mães e os pais de santo em movimento, atendendo em outras casas, em outras cidades ou estados. Quando isso acontece, os custos são de responsabilidade dos clientes, seja o combustível para motos e carros, passagens de ônibus ou mesmo de avião[63]. Durante certo

63. A maior propaganda dos pais e mães de santo sobre seus trabalhos acontece por

tempo, por indicação de um conhecido em comum, Pedro acompanhou uma mulher que residia em São Luís. O trabalho consistiu em duas etapas diferentes e foi acordado entre ambos por telefone. Inicialmente, o pai de santo foi à capital maranhense, com as passagens previamente pagas pela cliente, para realizar o atendimento em sua residência. Ela estava muito doente, vítima de um trabalho encomendado para prejudicar sua saúde. Depois da primeira consulta e de uma melhora em sua condição, ela foi atendida na casa de Pedro, por Chica Baiana. Os encantados, por sua vez, podem atender em locais variados, tanto mediante o deslocamento dos pais de santo quanto pelo seu próprio movimento enquanto "*espírito*" – ou seja, sendo recebidos em outras cidades, por outros médiuns. Em uma conversa com a pombagira de Pedro, Maria Padilha, ela contou que ainda atenderia, naquela mesma noite, através de um pai de santo de Teresina e por isso estava com muita pressa.

Os perigos e os contágios do "*trabalho*"

Wilson[64] era pai de santo de uma tenda localizada no terreno de sua casa. Além disso, brincava na casa de outro mestre da cidade. Em 2011, ele ficou bastante doente e me disseram que ele estava "*inchado*", seus intestinos e seu sistema urinário não funcionavam bem. Outras filhas de santo da tenda na qual ele participava ainda me contaram que ele tinha diabetes e era cardíaco, problemas compartilhados por uma grande parte das pessoas com quem eu convivia, e por isso, de certa maneira, muito familiares a todos. O problema que o afligia, entretanto, ainda que se configurasse

contatos informais entre pessoas. Além disso, Pedro e Mestre Bita tinham cartões pessoais, informando seus contatos ou sítios na internet. Bita ainda divulgava os atendimentos de sua tenda na rádio e televisão locais.

64. Nome fictício.

fisicamente, não poderia ser resumido aos sintomas e às categorias da medicina ocidental.

Wilson estava em casa, mas como sua condição não melhorava, foi procurar atendimento médico em uma cidade vizinha. O serviço de saúde de Codó era então considerado ruim, o que levava as pessoas a se deslocarem para consultas e internações em cidades próximas, como Presidente Dutra, Teresina e Caxias. Quando Wilson chegou ao hospital de destino, acompanhado por um familiar, não havia nenhum médico na instituição e sugeriram que ele esperasse até o dia seguinte para ser atendido. Ele não concordou com a espera, preferindo, já que se sentia mal, ficar em casa, próximo aos seus. No dia seguinte, eu o encontrei na casa de seu pai de santo, para onde se deslocou para realizar uma consulta.

Wilson foi trazido de sua casa em um carro e carregado, sobre uma cadeira de plástico, até o local da consulta, pois não conseguia caminhar. Na rápida passagem pelo local onde estávamos sentados conversando, foi possível perceber os efeitos físicos de seu problema, que tinham sido narrados para mim em outro momento. No dia seguinte, conforme me foi contado, ele foi internado na cidade vizinha, após a ligação de uma pessoa "influente" de Codó, exigindo uma conversa com o médico do local. Depois eu soube notícias de melhoria de sua condição física, mas ele continuava internado.

Além dos aspectos relativos à saúde e à medicina, ouvi que a condição de Wilson era resultado ou efeito de "*trabalhar com o que não se conhece*". Como contavam, as aflições do pai de santo começaram quando ele se dispôs a fazer um *trabalho para o mal*, ou seja, algo que prejudicaria alguém. Em Codó se falava em "*trabalhos para o bem e trabalhos para o mal*" como duas coisas distintas, embora não houvesse uma classificação estanque ou fixa do que seriam essas duas modalidades de atividade. Havia certos cuidados e melindres ao se falar sobre o tema, uma vez ser comum escutar dos pais e mães de santo que "*eu só trabalho para o bem, mas todo mundo trabalha pro mal*" – de forma que se dizia que parte importante das funções de um mestre era "*desfazer trabalhos*" vetores de mal-estar, falência, doenças etc. endereçados aos seus clientes.

Embora os mestres se orgulhassem de só fazer trabalhos para o bem, não se tratava, no caso de Wilson, de uma simples condenação moral – Luiza dizia que "*existe umbanda boa e umbanda ruim*" e as duas eram vistas como deixadas por Deus e passíveis de serem utilizadas pelas pessoas. O problema é que Wilson não tinha conhecimento sobre os trabalhos para o mal e por isso não soube se cuidar da maneira necessária, fazendo com que o trabalho o contagiasse com a moléstia que deveria provocar na vítima. Sua história funcionava como um alerta sobre os riscos envolvidos nas atividades realizadas pelos mestres. Eles, todavia, não estão presentes apenas nos trabalhos que envolvem prejuízo a alguma pessoa, também são arriscadas várias tarefas como receber novos filhos de santo, cuidar da manutenção das tendas, limpar os corpos das doenças e desfazer trabalhos.

Qualquer uma dessas ação deixa algum resíduo no corpo dos terecozeiros, pois as forças com as quais eles lidam são consideradas pesadas, como sua própria atividade (ver segundo capítulo) – e como disse Caboclo Ararum, a vida é difícil e cheia de problemas. Evidentemente, existem atividades mais e menos arriscadas, como me contou uma brincante do tambor, prima da mãe de santo Maria dos Santos. Ela me deu a entender que a manutenção do salão, por exemplo, era algo menos trabalhoso do que a realização do atendimento aos clientes: "*Eu já falei várias vezes para a Maria dos Santos parar com os trabalhos, ficar só com o salão dela. Porque quando alguém vem procurar, pode ter certeza que vem cheio de sombra ruim. E um pouco dessa sombra sempre fica, uma coisinha ruim*" (Dindinha, em 21 de julho de 2011).

Diante dos riscos e das formas de perceber as diferenças entre os trabalhos, os pais e as mães de santo costumam ter espaço para escolha na relação com os clientes, e podem recusar a feitura de alguns pedidos. A negativa pode estar relacionada com diversas razões, como estar se sentindo fraco, estar muito ocupado, não se sentir autorizado pelos encantados etc. Uma das possíveis razões é sua compreensão de que aquele é um trabalho que ele não faz porque considera um trabalho para o mal. Entre as diferentes histórias de recusa, lembro-me de duas, que ouvi de Luizinha e de seu João Tavares.

Anos atrás Luiza foi procurada em sua casa por um rapaz interessado nas suas habilidades de mãe de santo. Ele lhe perguntou quanto dinheiro gostaria de receber para fazer com ele conseguisse conquistar uma moça pela qual era apaixonado. Enfatizou um generoso pagamento, para que ela separasse a moça do namorado e ela se apaixonasse por ele. A mãe de santo informou ao rapaz que não fazia esse tipo de trabalho, porque considerava que, naquele contexto, não era um trabalho para o bem da moça. Sentia que, se o fizesse, ele poderia (o trabalho) se voltar contra ela e, como tinha uma filha ainda jovem, a chance de retornar sobre a menina era evidente.

Seu João, por sua vez, recebeu uma ligação telefônica em uma noite anterior a uma conversa nossa. No outro lado da linha estava uma mulher do Ceará. Na ligação ela prometeu 10 mil reais e uma moto da marca Yamaha para, segundo me disse o pai de santo, *"a eliminação de uma pessoa que está tomando o marido dela"*. Seu João explicou para a cliente que ele não aceitava trabalho que pudesse provocar a morte de outra pessoa. Caso ela quisesse, ele poderia fazer experiência para saber o que teria acontecido para que o marido fosse procurar uma amante (qual desavença, qual tipo de trabalho), abrindo a possibilidade de terminar com o caso extraconjugal. A mulher insistiu, mas seu João continuou firme em sua recusa. Ao me contar o caso, o pai de santo me disse ter aprendido, ainda jovem, que ações para provocar o mal das pessoas precisam ser feitas de forma muito correta, caso contrário retornam ao pai de santo. Esses retornos podem ser percebidos, por exemplo, sob a forma de doenças.

Luiza e seu João, ao mencionarem o não aceite da proposta de trabalho, citaram a possibilidade de ele retornar – de forma prejudicial – ao pai de santo, sua família e sua casa. Para compreender a ideia do retorno, é importante perceber que os elementos que levam uma pessoa a uma consulta – todo problema, seja de saúde, de relacionamento ou financeiro, por exemplo – só pode ser reconhecido na medida em que percebido como parte de uma narrativa mais ampla, uma cadeia de ações. O retorno evidencia os atos anteriores que levam o problema ou a aflição à existência. Ao intervirem, com suas ações e de seus encantados nesses processos, os mestres também se tornam implicados e partícipes dessa cadeia de fatos, seres e energias.

A história de seu Wilson não era original, semelhante ao seu caso, visto que eu soube de outros brincantes que foram criticados por fazer atividades cujo saber não dominavam. Eles também foram atingidos por malefícios e aflições vistas como sinal de que tinham "*mexido com o que não sabiam*" e alguns o fizeram porque percebidos como pessoas irresponsáveis que ignoram sua falta de saber e também os limites de proteção dos encantados, colocando em risco sua própria saúde, assim como a das pessoas que frequentam sua casa. Duas razões eram aventadas como explicação para esse envolvimento: o "*dinheiro*" e a "*vaidade*".

Como indiquei no capítulo anterior, é desígnio dos encantados que pais e mães de santo trabalhem, seja em mesinhas de cura, seja colocando salão para o desenvolvimento de sua mediunidade. As atividades que correspondem às suas funções remetem ao cumprimento de suas próprias obrigações (velas e rezas, especialmente), ao acompanhamento dos filhos de santo e daqueles que aspiram ao ingresso nas casas, além das atividades que estão relacionadas aos trabalhos feitos aos clientes.

Contudo, como falei no início do capítulo, compreende-se que um pai de santo responsável não deve aceitar nenhum trabalho sem antes consultar os seus encantados. Isso porque o sucesso da empreitada e a eficácia do pai de santo dependem das entidades. Mestres que não perguntam a elas sobre a possibilidade de conseguir efetuar um trabalho são, em diversas falas, considerados como pessoas interessadas no dinheiro dos clientes e não em resolver efetivamente suas aflições. Esses pais de santo são tidos como oportunistas. Seu João Tavares enfatizava que, em qualquer profissão, "*muitas coisas acontecem quando pega o dinheiro alheio*" e por isso ele responsabilizava o próprio cliente por comprar o material necessário para uma atividade (como velas, por exemplo). Ele recebia o pagamento em dinheiro somente depois de o trabalho ser concluído.

O problema, portanto, não consiste em cobrar por um trabalho (embora algumas pessoas afirmem de forma distintiva e positiva que nunca cobraram), mas em deixar crescer aos olhos a importância do dinheiro. A reprovação aparece diante da ganância, do desejo de ganhar às custas de enganar alguém. Essa prática, segundo meus interlocutores de pesquisa, acontecia em situações por eles conhecidas. Para eles, em Codó houve um aumento expressivo da quantidade de pais e mães de santo nos últimos anos e ele era resultado da irresponsabilidade de brincantes que não davam importância necessária ao pedido dos encantados e se tornavam pais de santo muito cedo (Luiza se referia a essas pessoas como quem "*virou pai antes de ser filho*")[65]. A possibilidade de ganho econômico, nesses casos, relaciona-se a um segundo elemento visto como negativo nesse contexto, a vaidade.

Um pai de santo vaidoso pode ser identificado a partir de seu comportamento e na ostentação da riqueza de suas festas. Se todas as festas investem na beleza do espaço físico e fazem convites a outras tendas para que participem do seu festejo, um mestre vaidoso fala de sua festa como se ela fosse melhor do que as de outras tendas. Também não é bem-vista a propaganda que algumas pessoas fazem de suas tendas. As críticas nesse sentido,

65. É importante dizer que não existe unanimidade na definição de quais sejam os jovens que ainda não deveriam ter se tornado pais de santo – um mesmo mestre pode ser tido como forte por algumas pessoas e como inexperiente (e vaidoso) por outras.

normalmente, dirigiam-se ao pai de santo que tinha maior acesso à mídia e que, segundo se afirmava, *"fala de Codó como se sua tenda fosse a única da cidade"*.

A vaidade também aparece quando se aceita em uma tenda novos médiuns, cujas entidades não são conhecidas na casa – ou seja, filhos de santo que são incapazes de serem cuidados nesses espaços e que precisariam ir para outro salão. Quem assim procede pode ser acusado de estar interessado apenas em aumentar *sua corrente*, ou seja, em ter uma casa com um número expressivo de filhos de santo. Vaidosa também é a pessoa que busca se destacar como mais sábia e mais poderosa do que as outras. Quando um mestre costuma contar *"segredos da religião"* (os *"mistérios"*) – ou seja, compartilhar informações que são vistas como delicadas e por isso preservadas do público amplo, sendo conhecimento restrito –, é possível ouvir que ele o faz para conseguir destaque e visibilidade, ignorando os riscos que tal atitude implica.

A vaidade e o acesso ao dinheiro em maior quantidade são, portanto, duas questões interligadas que remetem, ambas, a movimentos de diferenciação entre pais e mães de santo. Evidentemente, alguém considerado vaidoso para uma pessoa, pode não ser para outra, mas existiam alguns casos na cidade bastante difundidos e sobre os quais se tecia diversas considerações. Uma forma de provocar, desestabilizar e questionar certas posturas relacionadas a isso era o humor (as brincadeiras, a jocosidade) (FONSECA, 2004; VIEIRA, 2015) em relação aos trabalhos e aos poderes de determinados pais e mães de santo. Eram feitas diversas brincadeiras com pessoas da cidade que fazem propaganda de si mesmas como portadores de conhecimentos relativos aos trabalhos para o mal. Uma mãe de santo de um dos bairros de Codó anunciou publicamente os trabalhos que fazia e listou, entre eles, a *"magia negra"* (expressão pouco utilizada na cidade). O anúncio chamou a atenção dos moradores e atraiu, inclusive, pessoas de fora da cidade. Contudo, as pessoas com quem eu convivia eram unânimes ao afirmar que ela era muito nova *"dentro da religião"* e não tinha conhecimento para fazer o que apregoava, pois não sabia *mexer com magia negra*. Por a considerarem pretensiosa, tornou-se alvo constante de piadas e brincadeiras.

Ainda mais conhecido era um filho de santo da cidade. Seu Odílson[66] tinha cerca de 50 anos e trabalhou por muito tempo na rede de ensino. Em muitas festas ele brigava com conhecidos, chamando atenção para seu comportamento. Nesses momentos, ameaçava oponentes propagandeando seus poderes mágicos. Em um deles, advertiu um homem com quem discutia dizendo que em determinada quantidade de dias, sua mão cairia em função de um trabalho que ele faria. A história virou motivo de brincadeiras na cidade, quando as pessoas perguntavam se alguém tinha visto o homem sem mão. Fazia anos que a ameaça tinha sido feita e nada tinha acontecido. Seu Odílson não tinha o conhecimento, garantido apenas a alguns especialistas, de fazer os *"trabalhos para o mal"*.

Há uma linha delicada que deve ser observada na construção e no cuidado de uma tenda, na relação com as entidades e com as pessoas, que implica e constitui certa noção de ética. O problema não é o dinheiro ou a grandiosidade de uma festa, mas o privilégio deles em detrimento do reconhecimento dos créditos de tudo o que se tem às entidades. Não são as ênfases de um trabalho necessariamente questionadas, mas a desonestidade no reconhecimento dos limites e da incapacidade de lidar com certas questões, como doenças e entidades desconhecidas. Luiza dizia que nenhum chefe de culto deveria ser vaidoso, porque a força, o sucesso e o tamanho da tenda de qualquer pai de santo não é fruto de sua própria competência, mas resultado da generosidade dos encantados da casa. Segundo ela, isso coloca todos em uma relação de subordinação às entidades – e, portanto, em uma posição ligada à humildade.

Para a mãe de santo, os mestres são todos iguais entre si, de forma que o que os diferencia é o poder dos seus encantados, que,

---

66. Nome fictício.

por sua vez, depende do quanto se engajam com eles. Quanto mais um mestre trabalha, mais desenvolve sua relação com as entidades e mais forte ele se torna. O conhecimento e a capacidade de atuar em processos de cura ou resolução de conflitos é uma qualidade das entidades concedida aos mestres que atuam com seriedade. Nesse sentido, tornar-se um bom pai de santo é desenvolver uma relação com os encantados, "*Por que não é a gente* [a mestra ou mestre]... *A gente é tudo igual, o encantado que nos dá força. Eles é que nos dão a força. Precisa desenvolver eles. Se não a gente não cura nem dor de barriga de inocente*", dizia Luizinha.

Se o trabalho intenso faz um mestre crescer, ao mesmo tempo, implica perigo e certo acúmulo em seu corpo, dado o caráter pesado de sua atividade. Além de não estar isento dos problemas que atingem todas as pessoas, ele ainda se desgasta nos trabalhos e atendimentos que realiza como pai de santo, pois ele se relaciona com energias diversas e com seres distintos. Também por isso os chefes de tenda consultam "colegas"[67] considerados sábios e dependem deles para realizar alguns trabalhos em benefício próprio, para cuidar de sua própria saúde.

67. Taussig menciona que em virtude dos trabalhos dos xamãs, na Colômbia, apresentarem perigos, eles precisam, constantemente, recorrer a outros xamãs poderosos. Nas palavras do autor: "essa necessidade de imergir na luta contra o mal pode ser autodestrutiva. A vida de um curador se equilibra no limite dessa estratégia e, é por isso que ele sempre precisa fazer uma aliança com um curador mais poderoso" (TAUSSIG, 1993, p. 161).

5. VIDA CHEIA

No enterro de uma das filhas de santo de Bita do Barão – que aconteceu alguns anos antes da morte do próprio Mestre –, este consolava brincantes e encantados dizendo que "*a vida é cheia de feiuras e bonitezas*". Essa composição da vida (que a enche e a torna cheia), formulada pelo pai de santo, reflete também uma percepção compartilhada sobre as experiências do fazer terecô. Nelas, não faz sentido contar sobre as pessoas sem mencionar as relações que possuem com os encantados, a constante companhia, a costura das roupas, a "*zuada*" dos tambores, as visitas entre casas e tendas; mas também os sacrifícios, os tabus sexuais e alimentares, o consumo e o desgaste dos corpos, o cansaço. A vida e o terecô são duplamente constituídos, existem as dificuldades e as alegrias – e não se trata, de forma alguma, de poder escolher apenas uma delas.

Este capítulo é sobre essa vida, em que o investimento na beleza e na companhia é parte, sugiro, de uma teoria que desafia noções de racionalidade econômica e política, uma vez que se trata de assumir a importância do investimento nas relações sociais como primordial para a existência das coisas e das pessoas (BORGES, 2004; GOLDMAN, 2006; GOLDMAN; CRUZ DA SILVA, 1999; GOLDMAN; SANT'ANNA, 1999). Nos capítulos anteriores, teci algumas considerações sobre as relações entre diferentes seres, sobre as festas e a força dos encantados. Agora considero outras questões, que remetem ao lado mais difícil da vida, aquele conceituado acima como as feiuras, uma vez que nos permitem pensar como são os enfrentamentos e as teses que fundamentam a definição daquilo que é considerado verdadeiramente importante para alguém.

A maior das feiuras que pode alcançar uma pessoa é a solidão. Embora os pais de santo contem com possibilidades amplas de resolução dos problemas e de processos de cura de doenças, eles não estão imunes a sofrer de solidão. Seu João Tavares falava com muito orgulho da fama da avó, Maria Pretinha, terecozeira conhecida pelas visões e prognósticos que realizava. Foi ela, como contei no segundo capítulo, que antecipou que ele seria pai de santo. Todas as previsões que Maria Pretinha fez sobre a vida de seu neto se efetivaram e, por isso, seu João temia que a última delas se tornasse realidade. Perguntei, em uma conversa gravada, qual era esse último presságio tão temido e ele me respondeu:

> *Ela disse que eu era o último da família, que eu era o herdeiro de tudo, o último da família. E eu ia terminar meus dias de vida só, numa casa. E o pessoal ia chegar e dizer: "E aí, tio João, como é que vai o senhor?". E eu não quero que isso aconteça porque a solidão mata... E eu sempre peço a Deus que isso não aconteça* (João Tavares, em 03 de setembro de 2011).

Luiza conversou comigo diversas vezes sobre essa solidão que mata – que, para ela, estava relacionada diretamente à ingratidão e ao esquecimento. Em uma das ocasiões, estávamos em frente à sua casa, fazendo as tarefas do curso de alfabetização que ela frequentava. Ela escrevia em seu caderno respostas a perguntas feitas pela professora. Uma delas era: *Qual é a pior coisa da vida?"*. Luiza não teve dúvidas e escreveu na sequência: "É a solidão, se sentir abandonado". A solidão, temida por seu João e considerada por Luiza a pior coisa da vida, não é um receio individual ou pessoal. Entre as pessoas com quem eu convivia, a solidão era sempre referendada como algo assustador, temido e universal, que pode acontecer com qualquer pessoa. Ela é constituída pela ausência de família, pela falta de amparo e pelo abandono.

Em Codó existem pessoas que encarnam essa situação temida, por exemplo, os trabalhadores sem família e sem parentes, que vêm para a cidade por causa de um emprego; os homens que chegam para atividades transitórias no campo, como o roçado da juquira; ou os funcionários de alguma obra temporária. Essas pessoas são vistas com estranheza porque *andam sozinhas*. Interessante notar que os ver dessa forma seria paradoxal diante do frequente deslocamento de codoenses para trabalhar em outros estados do Brasil, se nesse movimento não fossem extremamente valorizados os contatos com parentes e conhecidos que já percorreram as rotas de migração e que podem fazer companhia na cidade de destino (DURHAM, 1984; WOORTMANN, 2009).

Pessoas sozinhas são vistas com pena e tristeza, e penso que também a minha presença na cidade passava por essa interpretação, já que eu também *"andava só"*. As perguntas que me eram feitas constantemente falavam dessa estranheza: como eu tinha chegado a Codó se eu não conhecia ninguém? E a minha família, onde estava? E meu namorado? E meu marido? Era impossível relacionar pessoas sozinhas como eu com redes já conhecidas, o que dificultava saber mais sobre quem eu era e quais eram meus interesses em transitar na cidade. Andar sozinha também era algo perigoso. O perigo ficava evidente na quantidade de cuidados, sugestões e dicas sobre a minha circulação – que incluíam encontrar alguma pessoa para me levar para casa depois das festas, dar-me o número de telefone de algum mototaxista conhecido, acionar gente que seguisse na mesma direção que eu, para me fazer companhia. Além disso, diante dessa estranheza, as pessoas buscavam explicações para dar sentido à minha presença em Codó, quando lançavam mão de razões que iam desde *"era para ser assim, não era por acaso"* até a necessidade de trabalhar.

A solidão é um medo cotidiano e por isso presente, mas também um receio sobre o futuro, o envelhecimento e o adoecer.

No âmbito da vida dos terecozeiros, a dimensão do futuro resgata a discussão sobre noção de pessoa, pois a passagem do tempo e o desenvolvimento da mediunidade conduzem a um trabalho intenso, à velhice e ao cansaço, resultado de uma vida dedicada aos encantados e ao cuidado das pessoas. Perceber, com idade avançada, a possibilidade da solidão e do abandono era apresentado por vários pais e mães de santo como um dos motivos que os levava ao afastamento da chefia das tendas e, dessa forma, eles falavam sobre as angústias que marcavam os últimos anos de suas experiências conduzindo os barracões.

Deixando os "*trabalhos*"

Com o passar do tempo, percebi que Luiza constantemente mencionava seu desejo de parar de trabalhar. Pude notar ainda que a jubilação não era justificada apenas pelo envelhecimento, mas por uma série de questões acionadas de forma conjunta para explicar o distanciamento e a diminuição das atividades da tenda. Quando contava sobre sua trajetória como mãe de santo, ela sempre se referia aos sofrimentos, aos tabus alimentares (que dependem do encantado recebido pela pessoa), aos seus desaparecimentos dentro da mata e às privações que passara. Expunha que seu desejo, quando moça, era ser "*mulher livre*" e viajar pelo mundo, trabalhando um pouco em cada cidade, guardando dinheiro para conhecer outras. Repetidamente dizia que queria ter feito o que eu podia fazer com a minha pesquisa, conhecer pessoas e locais diferentes, "*andar de avião, de barco pelo mar*" etc.

Por diferentes motivos, Luiza não pode ser mulher livre e andar pelo mundo. Primeiro porque teve que se casar, o que significou assumir várias responsabilidades, entre elas, a de ter filhos. Depois, teve uma "*segunda arrumação*", que, semelhante ao casamento, teria lhe impedido de ser "*viajeira*": a função de mãe de santo. Sua vida não era definida pelos seus desejos, mas se configurava de acordo com um papel de gênero esperado (GROSSI, 1998) e com a mediunidade, que lhe era de nascença. O casamento e os encantados não permitiram que andasse livremente nem mesmo depois de mais velha, já que entendia que os filhos que criou sem o marido (que faleceu cedo) e as atividades da manutenção da sua tenda lhe "*prendiam*" à cidade.

As recordações de Luiza são, em aparência, contraditórias e paradoxais em relação ao temor da solidão. Queria ser mulher livre e sem vínculos, mas acreditava que a solidão era a pior coisa que podia lhe acontecer. A contradição é constitutiva da experiência, porque a maternidade e o terecô lhe forneciam sentido à vida, tanto que – embora eu fosse, para ela, livre, ela repetidamente sugeria que eu tivesse filhos, que eu me casasse, que eu procurasse não ficar sozinha. Na mesma perspectiva, ser mãe de santo significava sacrifícios diversos, obrigações e uma dedicação extrema, mas Luiza dizia não conseguir imaginar sua vida sem "*baiá meu terecô*", sem ter tido seus filhos de santo ou construído seu salão.

A questão não é a da contradição ou da ambiguidade das coisas – nem só boas, nem só ruins (nem apenas bonitas ou feias). A amargura de Luiza com o afastamento das suas atividades como mãe de santo mostrava que o problema era a não reciprocidade: é quando se cuida, lembra, faz-se companhia, mas nem assim se evita a solidão. Todos os investimentos que tinha feito nas relações com as pessoas ao seu redor não pareciam suficientes. Segundo ela, era isso que acontecia com sua vida: embora tivesse se dedicado aos encantados e ajudado diversas pessoas, elas tinham lhe esquecido. Tudo isso ficou mais claro e intenso no dia em que encontrou os cadernos de Ernesto.

Ernesto era um encantado recebido por Luiza há anos e que não vinha há muito tempo. Segundo me contou a mãe de santo, ele (quando por ela recebido) era um senhor velhinho e muito sabido que era consultado nos trabalhos especialmente de cura, sobre os procedimentos que deveriam ser feitos nos atendimentos aos clientes na casa. Quando vinha em situações de consulta, seu diagnóstico era escrito, por ele mesmo, em um caderno. Depois de um trabalho, quando ela retomava a consciência, era Manuel, seu marido – que sabia ler – quem lhe dizia o que Ernesto anotara no caderno, porque naquela época ela ainda não tinha esse conhecimento. Depois que Manuel morreu, a própria Luiza conseguia, inexplicavelmente, entender "*os garranchos*" de seu encantado.

Ela nunca soube onde os cadernos de Ernesto ficavam guardados, porque eles eram depositados em um lugar conhecido apenas pelas entidades. Há alguns anos, sem querer, ela os encontrou. Mexendo nas páginas e lendo o que compreendia, recordou-se de uma grande quantidade de pessoas que ela, com seus encantados, havia atendido. A partir deles, entendeu que tinha trabalhado e ajudado muita gente, e concluiu que muitas dessas pessoas, atualmente, não a cumprimentavam – elas "*passam em frente à minha casa, não conversam, não gostam de mim, não vem agradecer mais*", dizia. Luiza teria ficado imensamente magoada e, naquele momento, "*era como se eu tivesse ido embora da terra. Como se eu tivesse saído do meu corpo, numa agonia muito grande*" (Diário de campo, 17 de maio de 2011).

Depois desse dia, os cadernos desapareceram novamente. A mestra não tem certeza de como isso aconteceu, mas acredita que foram jogados no mato ou queimados por algum dos encantados que recebe. Embora seu paradeiro continue um mistério, foi a partir do encontro com eles que Luiza passou a fazer planos para parar de trabalhar, o que implicou conversas com as entidades sobre a diminuição de suas atividades como mãe de santo. Entre os elementos consultados, estava o não aceite de novos filhos de santo, a redução da quantidade de noites de toque de tambor e também a recusa em atender os clientes. Dizia ainda que conversava constantemente sobre o fim do seu festejo para São Francisco de Assis, mas que as entidades pediam que ainda o mantivesse.

Tal como Luiza, outros pais e mães de santo consultavam suas entidades sobre a diminuição de suas atividades nas tendas, pois muitos daqueles com quem convivi já tinham idade avançada e problemas de saúde. Esse momento pode envolver, por exemplo, menor quantidade de rezas realizadas durante o dia; a não observância dos tabus alimentares (podendo voltar a consumir alimentos antes proibidos); o menor número de giras e toques de tambor – de forma que, em casas onde se toca semanalmente, por exemplo, sejam realizadas giras apenas uma vez por mês ou em datas consideradas importantes. O elemento que me parece ser um dos primeiros a ser alterado é o aceite de novos filhos de santo nas tendas. Iracema tinha 72 anos quando me contou que fora procurada por uma mulher que queria ser filha de santo da sua casa. A mulher já participava do terecô e dançava em uma tenda que fechou por causa do falecimento de sua mãe de santo. Na ocasião, Iracema me contou que não aceitou o pedido e que não queria nenhuma pessoa nova, pois "*dá muito trabalho*" e ela estava "*velha*". Seu Raimundinho Pombo Roxo, nessa mesma época, também me falava sobre a dimensão trabalhosa e o cansaço que envolviam "*aumentar sua corrente*" de filhos[68].

Consultar os encantados sobre a redução das atividades nas tendas implica também aceitar que a eficácia nos e dos trabalhos se transforma. A diminuição das obrigações para com os encantados acarreta uma necessária redução dos atendimentos que podem ser aceitos pelo pai ou mãe de santo. Tal medida é necessária porque a quantidade e a complexidade dos trabalhos – que são autorizados pelos guias – têm relação direta com a força de cada pai de santo para resolver o problema ou atingir seu objetivo com sucesso. E a força, como tenho dito, depende do quanto se trabalha. Foi essa a razão utilizada por Luiza para recusar um pedido de auxílio de uma vizinha sua, que estava demasiado preocupada com uma neta que

68. A compreensão dos pais de santo jovens, contudo, é bastante diferente. Eles tendem a ver como positivo o aumento do número de filhos de santo de suas tendas, pois seria um indicativo do aumento de seu próprio e de sua casa.

tinha mudado para o Distrito Federal e estava doente. Ao negar o trabalho, Luiza disse que estava "*cansada, velha e com energia fraca*", mas indicou outro mestre, de sua confiança, para a tarefa.

A decisão de diminuir as atividades na chefia das tendas em nada era leviana, ela acontecia diante de uma minuciosa análise do passado que se baseava tanto em lembranças como em uma espécie de trajetória encarnada na própria condição dos corpos. Nesse sentido, o trabalho com as entidades se materializa em aspectos visíveis do corpo, em marcas como cicatrizes e manchas, e nas doenças. Dona Concita, uma senhora idosa do povoado de Santo Antônio dos Pretos, disse-me que as manchas brancas que tinha em suas mãos eram resultado da quantidade de partos que seu encantado fez "*em cima*" dela, sem o uso de luvas de proteção. Luiza, desde que iniciara os pedidos para parar de trabalhar, sentia que um dos seus braços não tinha mais a habilidade de antes. Para ela, era como se seus encantados estivessem lhe enviando um sinal: já que não trabalharia mais, não precisava daquele braço funcionando perfeitamente. Seu Wilson, que aparece no capítulo anterior, percebia os efeitos de atividades dos "*trabalhos que não conhecia*" nas pernas e braços inchados[69].

Dessa forma, o peso da função de um mestre se estende ao corpo e se evidencia nos problemas de saúde, no cansaço físico e emocional, e no processo de envelhecimento. Esses elementos vão debilitando a aparência e o funcionamento dos corpos, é como se, com o passar do tempo, ele fosse consumido pelas atividades

---

69. Na incorporação, alguns encantados reclamam dos corpos velhos de mães e filhos de santo. Fazem brincadeiras, dizendo que eles, mesmo sendo novos, precisam se sujeitar a vir "em moça velha", ou seja, em uma filha de santo idosa. Fazem ameaças dizendo que vão deixar os corpos cansados quando subirem e que vão "judiar" do corpo velho que os recebe. Como indica Barbosa Neto (2012), é na experiência da incorporação que as entidades experimentam a corporalidade ao ocupar o corpo dos "cavalos". É a partir dela que dançam, abraçam pessoas e outros encantados, consomem bebidas de sua preferência. Contudo, sua presença marca os corpos para além do momento em que são recebidas, mostrando que constituem as pessoas também no sentido físico.

envolvidas na chefia de uma tenda. Não que o cansaço, a velhice e os problemas de saúde não incidam sobre qualquer pessoa, independentemente de ser pai de santo. Contudo, nesse caso, a exposição ao pesado e trabalhoso, a lida com perigo e com diversas energias e a constante busca de equilíbrio e proteção alcançam uma intensidade não compartilhada por todos.

Nesse momento, aspectos de melancolia e amargura surgem nas narrativas de pais e mães de santo. Nelas as tendas já não são tão frequentadas, já não se desejava novos filhos de santo, sente-se o cansaço dos anos de trabalho. A repetição constante dessas falas – continuamente reiteradas tanto nas conversas cotidianas quanto nos rituais – me parecia ter uma função didática. Elas serviam para reafirmar a importância da companhia, do cuidado, da lembrança. Eram uma forma de ensinar e reafirmar quais eram as questões centrais da vida. Ao mesmo tempo, quanto mais eu ouvia sua repetição, mais notava que elas funcionavam também como um momento de elaboração e preparação para a despedida dos mais velhos (RIFIOTIS, 2006). Nesse sentido, tenho a impressão de que pais e mães de santo falavam sobre seu envelhecimento e morte não apenas para ouvir quanto eram queridos (como previa a etiqueta nesses momentos), mas para preparem a si próprios para deixar de baiar terecô.

Evitando a solidão

Existem estratégias para combater a solidão ou para não se deixar ser alcançado por ela, como fazer companhia, cuidar e lembrar-se das pessoas. Na vida vivida em meio a alegrias e adversidades é preciso ter com quem contar o que evidencia as redes e as ajudas necessárias para existir. Algumas delas são constantes no cotidiano, para o cuidado com as crianças, a ida ao banco, o pagamento de contas, as trocas de alimentos. Nesses momentos normalmente se tem a companhia de familiares e vizinhos. Redes de escopo maior

– que envolvem políticos, pessoas com melhor condição financeira, pais de santo afamados – são acionadas quando se precisa de ajuda em emergências, no acesso aos serviços públicos e em situações em que se esgotaram os recursos das relações mais próximas[70]. Conta-se, no cotidiano, também com a ajuda e o acompanhamento dos encantados, que, como suas capacidades e habilidades, resolvem problemas de saúde e de convivência, por exemplo.

As situações que envolvem adoecimento e morte evidenciam isso de forma notável. Nelas, os familiares participam intensamente, cuidando dos idosos, das crianças, das casas e da feitura de alimentos. As despesas com os procedimentos dos enterros são arcadas, normalmente, por eles, e, em alguns casos, por conhecidos ou por entidades mutualistas[71]. Buscando diminuir os custos desses rituais, idosos pagam carnês com mensalidades em torno de 10 ou 15 reais, junto às funerárias locais. Em situações de morte inesperada, quando preparativos relativos às despesas não foram feitos e se gasta muito dinheiro, é comum acionar patrões (atuais ou antigos) e políticos para arcarem com parte dos gastos.

Os enterros mais dispendiosos normalmente envolvem o deslocamento do corpo da pessoa falecida – quando mora em outra cidade ou nela estava em tratamento de saúde. É importante cuidar de vivos, mas também de mortos, concedendo-lhes os rituais necessários e tal como a solidão, morrer sozinho, distante das pessoas conhecidas, é algo trágico. Por isso, pessoas doentes (a despeito de

---

70. Em Soares (1981) e Garcia Jr. (1989), aparecem menções à participação dos "senhores" proprietários das terras, nas redes de ajuda. Esses laços eram entendidos como de dependência e acionados quando necessários: "Nas situações extraordinárias ou difíceis da vida corrente, nascimentos, doenças, mortes, recorria-se ao senhor, e era sua generosidade nestes momentos que alimentava a imagem de protetor legítimo de todos os que habitavam no interior do domínio" (GARCIA JR., 1989, p. 40).

71. Existem importantes mutuarias em Codó criadas tendo entre seus objetivos oferecer "dignidade" aos momentos de enterro dos trabalhadores pobres. A Sociedade Previdente Mutuaria Codoense é de 1901; a União Artístico Operária Codoense do ano de 1932; e o Centro Operário Codoense, de 1953 (ABREU, 2010).

considerações sobre o sistema médico local) retornam para Codó, porque consideram importante estar perto da família nos momentos de maior fragilidade. Um dos filhos de Chagas, irmã de Luiza, voltou de uma cidade próxima ao Tocantins para convalescer na casa da mãe durante seus últimos dias de vida. A despeito da tristeza, as pessoas se consolavam dizendo que ele estava com a família em seu momento de morte. Ele teve "*a sorte*", dizia-se, de ter "*morrido em casa*".

Existe um cuidado compartilhado por pessoas católicas e de terecô com aqueles que morrem: a realização das "*visitas*" – atividade que motiva o encontro para recordar a presença da pessoa falecida e interceder por ela. Elas acontecem a partir do velório que, na maioria dos casos, é na casa da família – com exceção de pessoas com destaque na cidade, veladas na igreja, ou dos pais de santo (e alguns filhos), que são velados em suas tendas. O velório demora o tempo da chegada dos parentes que estão migrantes, o que pode significar dias de espera. Nesse ínterim, a casa se torna espaço da socialidade dos familiares e amigos, que cedem cadeiras de sua residência ou mesmo a disponibilizam para a feitura da comida que é servida constantemente. A maior parte dos rituais nesse tempo de espera é conduzida por rezadores conhecidos na cidade[72].

Depois do velório, os cortejos normalmente seguem a pé para os cemitérios, tomando as ruas e interrompendo o fluxo do trânsito. À frente caminha o padre, o pastor, o pai de santo ou rezador, seguido pela família do morto e, por fim, pelas outras pessoas sem relação de parentesco. Depois das rezas, aproveita-se a presença no espaço do campo santo para acender velas em túmulos de outros conhecidos. Nesses momentos, as pessoas caminham entre as lápides posicionadas nas mais distintas direções. A aparente ausência de trajetos claros e delimitados entre elas não parece atrapalhar a localização das

72. Os rezadores mais conhecidos eram chamados para novenas, enterros e visitas aos mortos. Chegavam a estar ocupados todos os dias da semana. Pelo que soube, recebiam ajuda de custo para o deslocamento (pagamento de carros ou de mototáxi), mas não sei dizer se havia pagamento pela sua função.

sepulturas por parte daqueles acostumados a visitar seus mortos.

A contar sete dias da morte de alguém, são iniciadas as visitas. Além dessa primeira, para a qual os parentes que moram em outras cidades costumam permanecer em Codó, existe a "*visita de décimo quinto dia*, a *visita de mês*, a *visita de seis meses* e a *visita de ano*". A partir de um ano da data de falecimento, vai-se à sepultura sempre quando se completa aniversário de um falecimento, de forma que todos recordam dia, mês e ano das mortes dos mais próximos. Seja realizada na casa do falecido ou no cemitério, a visita segue um procedimento mais ou menos regular: é rezado o Terço, seguido por uma Salve Rainha e por um Bendito do Rosário de Nossa Senhora. Tal como no enterro, toda menção dentro das rezas é feita ao morto por referência aos pronomes pessoais ou ao seu próprio nome – por exemplo, no trecho da reza da Ave Maria, em que se diria "*rezai por nós, pecadores*, diz-se: *rezai por ele, pecador* ou *por ela, pecadora*".

A visita sempre termina na reunião dos familiares e amigos na casa, quando são servidos bolos e refrigerantes, de forma que socializar, nestes momentos, é muito importante. Muito embora os enterros e as visitas sejam momentos de tristeza, eles não incluem apenas comportamentos formais e sérios. Existe uma referência constante ao humor e mesmo à jocosidade. O clima quente onipresente na cidade, acrescido pelo calor das velas acesas, o fato de nos sentarmos nas lápides de outros túmulos ou ficarmos de pé sobre elas, os erros na letra das músicas e das rezas, tudo pode se tornar assunto de alguma brincadeira nos procedimentos que compõem os ritos de morte[73].

Nos momentos de morte sempre se preza pelo deslocamento para a companhia presencial, mas nem sempre ela é possível. Exis-

---

73. O lembrar-se dos mortos também é composto de outras demonstrações de carinho. Uma prática muito comum é expor mensagens com fotos do falecido em camisetas, adesivos de carro e também em pequenas lembranças dadas aos presentes no velório (como fotografias personalizadas). Margarida Moura (1983) registra, na década de 80, o enterro de um antigo rei do Rosário na cidade de Serro em Minas Gerais, destacando o uso das fotos como uma forma de reacender a memória das pessoas em relação ao morto e de torná-lo participante do ritual.

tem formas de cultivo das relações mesmo na ausência de contato físico – algo comum em um contexto no qual todos possuem parentes em deslocamento para trabalho em outras regiões do país (seja em direção à fronteira oeste, adentrando a Amazônia (VELHO, 1972; SOARES, 1981; ANTUNES, 2006) ou tendo como destino outras regiões do Brasil, especialmente as regiões Sudeste e Centro-Oeste (GARCIA JR., 1989)[74]. A migração não significa um rompimento com as redes familiares, embora com ela diminua o contato físico entre quem parte e quem fica. Para aqueles que ficam, permanecem os objetos pessoais do familiar e as suas fotos nas paredes. Eles recebem outras imagens pelo correio, cartões postais das cidades de destino e, em alguns casos, recursos financeiros. Da parte de quem se desloca, raramente o movimento se mostra como meramente individual, pois segue percursos anteriormente feitos por pessoas conhecidas, como afirmei em outro momento. Delas não provêm apenas a informação da rota a ser seguida, mas também a recepção no destino, indicações de vagas de trabalho ou a oferta de uma casa para ficar.

Quando as condições financeiras permitem, os migrantes visitam o Maranhão trazendo fotos da cidade onde vivem, comidas consideradas diferentes e mesmo novos membros da família. Não é incomum que essas visitas sejam realizadas no período dos festejos de uma casa ou de uma tenda, ou no momento de realizar uma visita a uma pessoa falecida. Retornos definitivos (ou potencialmente definitivos) e planejados acontecem quando se guarda algum dinheiro para abrir um negócio em Codó, ou se faz uma poupança para voltar para a cidade e poder cuidar de pais ou parentes considerados envelhecidos. Muitas vezes uma morte antecipa ou acelera esses planos.

---

74. A migração para outras regiões do Brasil é, atualmente, bastante intensa. Aqueles que saem normalmente se utilizam dos ônibus de linha (empresas com rota 'oficial', que partem do Quilômetro 17) ou de "ônibus clandestinos", como são popularmente conhecidos os ônibus fretados por agências de viagem, que operam a partir da concessão de liminares.

A família é a fonte primordial de cuidado nos momentos de maior dificuldade e por isso o retorno para Codó era sempre legítimo quando acontecia face à necessidade de acompanhar os pais e mesmo outros parentes. Sempre chamou minha atenção a insistência, na fala de pessoas e de encantados, na necessidade de ter filhos e aumentar a família para não ficar sozinho. Nas consultas que eu tinha com Caboclo Ararum na loja de Bita ou nas conversas com Luiza na porta de casa, esse assunto era recorrente. Se a repetição me intrigava, foi em uma conversa entre amigos, em um bar da cidade, que percebi uma relação importante entre a lembrança, os filhos e a morte.

Eu retornava a pé para minha casa, depois de participar da procissão de Santa Rita e Santa Filomena, padroeiras da cidade. Ao lado de onde eu vivia, no Centro, em um bar, estavam sentados três músicos da Banda Municipal Euterpe. Tornamo-nos amigos, porque eles tocavam em boa parte dos festejos e eventos que eu frequentava – em procissões para santo, em festas de encantado, em enterros. O mais velho dos três, seu Louro – que, na época, deveria ter pouco menos de 40 anos – estava divorciado e morava com seu filho. Quando conversamos sobre isso, ele me deu o mesmo conselho que ouvi de Luiza, Bita e Caboclo Ararum: eu deveria ter os meus próprios filhos. Não se tratava, entretanto, de uma associação da mulher à maternidade – ideia que eu tinha aventado em outros momentos –, porque ele, em seguida, perguntou-me: *"Martina, mas quando você morrer, quem é que vai lembrar de você? Se você não tiver filhos, quem vai lembrar?"*

Lembrar-se tem a ver com fazer companhia, falar sobre quem está longe, reconhecer familiares mesmo sem os ver há anos, telefonar, mandar recados e notícias. Pode-se ficar anos sem informações de algum primo ou tio, mas, em respeito às memórias dos períodos vividos em proximidade ou do encontro em eventos familiares, a casa é aberta para recebê-los, recursos financeiros são compartilhados, doentes recebem cuidado e acompanhamento. Para além disso, os filhos são também uma aposta na lembrança sobre nós quando nós mesmos não mais estivermos vivos. Eles convivem conosco e também projetam outro tempo – eles nos fazem, segundo seu Louro, viver para além da nossa existência física.

O cuidado e a companhia são compartilhados por pessoas e encantados, e isso faz das tendas, como as casas, espaços de cultivar relações com seres diversos. A presença dos encantados varia de acordo com cada entidade e também se relaciona com o momento de vida de pais e mães de santo. Existem encantados que são sentidos ou recebidos quase que diariamente durante anos e que depois passam a se manifestar raramente. Outros se despedem e não mais retornam a determinadas casas. Existem ainda entidades que vêm apenas em festas anuais, quando fazem aniversário na croa dos brincantes e são recebidas com honrarias e presentes.

A relação com as entidades passa ainda por outra dimensão do cuidado, aquele do pai ou mãe de santo com seu filho. Como afirmei anteriormente, é o mestre quem organiza as correntes de um neófito, prepara-o para ficar firme quando receber uma entidade e o instrui no cumprimento de suas obrigações. Aqueles mestres que não o fazem são vistos com reprovação pelos demais, que percebem incorporações violentas e falta de controle dos médiuns em relação ao seu corpo. Em certo sentido, o contrário também é válido: filhos de santo são vistos como cuidando dos seus pais de santo na medida em que cumprem bem suas obrigações e rezas, auxiliam na manutenção das atividades das tendas, responsabilizam-se por festejos ou limpam o espaço físico onde são feitas as giras de tambor.

Por vezes, um pai ou mãe de santo carece do cuidado de outro mestre, como mencionei brevemente no quarto capítulo, seja para tratamentos terapêuticos ou para trabalhos relacionados à purificação de seus corpos sempre vulneráveis. Igualmente necessitam de outro chefe de tenda ou de um grupo deles para oficializar os ritos no momento de sua morte. Seu Sebastião, pai de santo de um povoado no interior de Codó, direcionou meu olhar para as tramas de cuidado e companhia entre os mestres quando nos conhecemos em um ritual para Cosme e Damião na casa de seu Raimundinho Pombo Roxo – tenda da qual ele era padrinho.

Em maio daquele mesmo ano, no povoado, sua esposa faleceu. No dia de sua morte, ele estava na cidade (cerca de 30 quilômetros da localidade) para usar diferentes serviços, visitar os filhos e seu Raimundinho, pois os dois eram amigos há mais de 10 anos. Quando soube da morte, ele precisava voltar ao povoado e, nesse momento, foram seus filhos e o pai de santo amigo que conseguiram somar algum dinheiro e pagaram o carro que o levou para casa. Também foi o amigo Raimundinho quem organizou os caminhões que transportaram os conhecidos para o velório e para a "*visita de sete dias*", de forma que, segundo seu Sebastião, "*pro velório e pra visita foram duas carradas de gente do Codó*" (ou seja, dois caminhões cheios). Tudo isso tinha lhe dado, a despeito da tristeza, muita satisfação, pois, na ocasião, "*teve muita comida* e se *dançou terecô durante toda a noite*". A esposa merecia todos aqueles últimos gastos porque, segundo me disse, sempre o ajudou enquanto estava viva. Ele sentia, portanto, que ela "*teve um bom enterro e uma boa visita*".

Lembrar é também fazer (e receber) companhia, cuidar de mortos e de vivos. Esses são comportamentos esperados das relações sociais, especialmente das pessoas mais próximas, os familiares. Investir nas relações e, portanto, seguir esses comportamentos, é uma ação para evitar a solidão. É ainda uma afirmação do caráter relacional da constituição das pessoas. As pessoas devem estar sempre acompanhadas – em presença ou em pensamento – pelos seus familiares, por seus encantados e pelos seus mortos.

Despedida

Na noite do dia 25 de novembro de 2010 eu estava na Tenda Rainha Iemanjá, de Mestre Bita do Barão, para a abertura do festejo de nove noites em homenagem à Santa Bárbara. Muitos festejos estavam acontecendo naquela semana, dada a popularidade da Santa na cidade. Naquela casa, o festejo pertencia aos filhos e filhas de santo, responsáveis pelas atividades e pela oferta dos comes e bebes. A abertura estava atrasada, mas só conheci o motivo no final da noite. Uma das filhas de santo da casa, vizinha da tenda e que convivia no local desde criança, tinha falecido no Hospital Geral Municipal. Foi o próprio pai de santo quem comunicou a morte ao término da programação no salão e anunciou o cancelamento do show de forró, que aconteceria na sequência.

Algumas brincantes foram imediatamente para a casa de Eurides – a irmã de santo falecida – para o início do velório. Encontrei-me com elas algumas horas depois, quando amanhecia o dia. A casa era pequena, de alvenaria sem reboco, com piso de chão batido. Algumas cadeiras de plástico foram colocadas na sala, onde estava o caixão. Outras estavam na rua, onde diversos terecozeiros permaneciam sentados, vestidos de branco e com a cabeça coberta, conversando e eventualmente rezando algumas palavras.

Logo que cheguei fui cumprimentar as pessoas da família, especialmente o filho de Eurides. Perguntei o motivo da morte e ele não soube me responder, porque os médicos não tinham informado do que se tratava. Imaginava estar associada aos problemas no coração, colesterol alto e diabetes que acometiam sua mãe. Foi ele quem a levou ao hospital, mas foi proibido de entrar e acompanhá-la, porque vestia bermuda – e homens teriam permissão para entrar apenas quando estivessem vestidos com calças compridas. Depois de voltar de casa com a roupa exigida, encontrou Eurides já falecida no quarto do hospital. Enquanto me contava, eu me incomodava tanto com a história da bermuda que lhe impossibilitou de ficar com a mãe quanto com a ausência de informações da causa da morte. As pessoas presentes, entretanto, especialmente aquelas que me eram mais próximas tinham outras preocupações, como a chegada da família de Eurides.

O corpo seguiu sendo velado durante o dia, enquanto esperávamos a chegada da família, especialmente de sua irmã, que residia em São Luís. Ela não tinha carro e procurava um *taxista* que fizesse uma lotação para Codó. O enterro estava previsto para o fim da tarde e começou assim que ela chegou. Dentro da casa, um filho de santo de Mestre Bita, que foi coroinha da Igreja Católica e conhecia ladainhas em latim e em italiano, conduziu a reza. No final dela, cantamos alguns hinos cristãos e o hino da umbanda. Em seguida, o pai de santo aproximou-se do caixão cantando o ponto que costumeiramente usava para abertura de algum ritual ou toque de tambor.

> *No céu uma estrela brilhou,*
> *No mar sereia cantou.*
> *Esse é o caminho mais certo que Deus nos guiou.*
> *Esse é o caminho mais certo que Deus nos guiou.*

Enquanto cantava, acompanhado de suas filhas de santo e da diretoria de sua casa, o pai de santo cortava, com uma tesoura, os cordões de conta que pertenceram a Eurides. As miçangas se espalhavam sobre o corpo, ficando dentro do caixão. Duas filhas de santo da casa faziam o mesmo com as saias e blusas brancas que também lhe pertenciam. Colocado sobre uma estrutura com rodas, o caixão foi conduzido em cortejo até o cemitério do centro da cidade. Segui, junto a Luiza e outras amigas, cantando e rezando. Filhas de santo permaneceram na casa de Eurides, para varrer o chão e retirar objetos que tivessem participado do ritual. Eles também precisam ser despachados.

Nesse momento do ritual, nenhum dos presentes tinha recebido seus encantados. Foi quando entramos no cemitério que algumas entidades incorporaram, chegando com expressões faciais e corporais de tristeza, acompanhadas de sons de sofrimento, dor e lamentação. Elas foram conduzidas até o local da sepultura da família de Eurides. Velas foram acessas ao redor do túmulo e ele foi coberto com terra. Depois de cantarmos, Bita do Barão falou algumas palavras, lembrando que os planos de Deus para nossas vidas eram imprevisíveis e não detínhamos o controle sobre eles. Foi nesse momento que ele sentenciou ser a vida *assim mesmo*, *"cheia de feiuras e bonitezas"*.

Antes de sairmos, algumas pessoas ainda acenderam velas em túmulos conhecidos e juntos seguidos, sob a carroceria de um caminhão, à tenda, para o tambor de choro (de corpo ausente) de Eurides[75]. Logo na entrada do pátio, todas as pessoas que estavam no cemitério passaram por um banho de ervas. As mãos, os antebraços e os nossos pés deveriam ser lavados, para serem purificados. Quando retornamos, os tambores da casa estavam deitados e cobertos por toalhas de renda branca, no centro da tenda pequena (havia duas no pátio da casa de Bita), onde seria feito o tambor de choro. Próximo a eles, três sacos de ráfia comportavam as roupas de santo que pertenciam à filha falecida.

Mestre Bita, sua filha de sangue e a presidente de seu salão começaram a cantar alguns pontos dos encantados, e os brincantes se colocaram ao redor dos tambores. Já nos primeiros pontos, o pai de santo recebeu alguma de suas entidades (eu nunca soube qual delas) e foi ela quem conduziu o ritual. O encantado retirou toda a cinza que estava dentro do defumador e colocou em um alguidar em formato de disco. Em seguida, derramou-as dentro de uma sacola de plástico. Os terecozeiros movimentavam as mãos esfregando uma palma contra a outra, como já faziam durante o

75. Barretto faz uma breve descrição do Tambor de Choro (ou Zelin) na Casa das Minas em São Luís, que "tem o objetivo de despachar a pessoa recém-falecida do convívio com os vivos" (1977, p. 86). Sérgio Ferretti também descreve os rituais envolvidos no Tambor de Choro na Casa das Minas, feito "para despachar o espírito do morto, para que ele tome consciência de que já morreu" (1996, p. 193). Ferretti ainda menciona o tempo de luto feito pelas vodunsis da casa, que varia de acordo com a relação de parentesco entre seus voduns e o da pessoa morta. Provavelmente em função de razões diversas, existem diferenças e semelhanças com o Tambor de Choro que assisti em Codó. Para uma discussão da etimologia do Tambor de Choro e outras denominações como Zelin (nome dado nas casas jeje) e Axexe (nas casas ketu), ver Sogbossi (2011).

velório e enterro. O pote de barro foi erguido e em seguida lançado ao chão[76], despedaçando-se em pequenas partes. Imediatamente algumas filhas e filhos de santo receberam seus guias e caíram no chão, permanecendo deitados por mais de uma hora, movimentando braços e pernas, e chorando.

Diferente de outras religiões afro-brasileiras, em que as entidades não são recebidas nos rituais de morte (como no Tambor de Mina, por exemplo) [77], na história de Eurides vemos que os encantados estiveram presentes tanto no cemitério quanto no tambor de choro. Luiza e outros brincantes me explicaram, posteriormente, que alguns terecozeiros recebem seus encantados, especialmente os chefes de croa, porque eles desejam se despedir do morto. Além disso, com a quebra do alguidar, as entidades que "*passam*" na pessoa falecida podem ser recebidas por outros filhos de santo da casa. Sua passagem nesses outros corpos marca sua despedida da tenda.

Enquanto algumas pessoas recebiam suas entidades e também os encantados de Eurides, outras continuavam cantando, sem o acompanhamento do tambor, alguns pontos relacionados à tristeza e à falta.

O meu coração dói,
O meu coração, dói, dói.
Na guma está faltando um,
O meu coração dói.

---

76. Tendo observado a quebra de potes e cuias em rituais funerários em duas casas de candomblé em Salvador (BA), Brice Sogbossi (2011) conclui que a quebra está relacionada com a separação entre os vivos e os mortos, simbolizando que o morto não faz mais parte daquela casa porque mudou seu estatuto. Prandi afirma que no candomblé baiano, o axexê é "celebrado para desligar o morto da vida presente, para que ele possa partir e depois voltar como outra pessoa, rito que representa a quebra de todos os vínculos do morto" (PRANDI, 2001, p. 51).

77. Enquanto no terecô os encantados se fazem presentes no Tambor de Choro, na Casa das Minas, em São Luís, os voduns não participam dos ritos relacionados ao enterro, retornam apenas depois que a casa está "limpa" das impurezas atribuídas ao morto (FERRETTI, 1996).

O encantado que estava "*em*" Mestre Bita acendeu um conjunto de velas e, segurando-as em uma das mãos, saiu do salão. Atrás dele seguiram três homens carregando os sacos de ráfia. Todos saíram do espaço de costas e foram de carro a um local por nós desconhecido, para o despacho dos pertences de Eurides. Apenas quando retornaram à tenda as entidades recebidas durante o tambor de choro se despediram. Algumas mulheres varreram os cacos do pote quebrado, com folhas verdes, que também seriam ritualmente eliminadas e não poderiam mais ser utilizadas. O pai de santo retornou ao salão "*puro*" (sem estar com encantado) e proferiu algumas palavras direcionadas aos presentes: lembrou que a vida era cheia de bonitezas e feiuras, recordou que Deus tinha seus planos e afirmou que, se continuassem frequentando a sua tenda, ele faria o mesmo trabalho para cada um deles, quando falecessem.

Pesquisas com religiões afro-brasileiras em diferentes contextos etnográficos enfatizam a necessidade ritual de marcar a ruptura entre a vida e a morte (ou entre os estados de vivente e morto como em Cunha (2011) e Sogbossi (2011), por exemplo). O corte dos cordões de contas e das roupas, os despachos, os banhos no retorno do cemitério, as vassouras de folhas verdes que não podem mais ser usadas, mostram a necessidade de romper a ligação entre a pessoa morta e os vivos. Em outros contextos, em virtude dessa separação, as entidades não se fazem presentes nos rituais de morte, como indiquei anteriormente (FERRETTI, 1996; BARRETTO, 1977).

Apesar da necessidade de marcar a separação e a mudança de estado introduzida pelo falecimento, outros elementos chamam atenção para as continuidades presentes na relação entre vivos e mortos. Assim, como afirma Cunha, parece coerente aqui afirmar que "Longe de me referir à morte como algo opositivo, usarei esse termo para designar gradações, modos de experienciar uma barreira que pode ser mais ou menos transponível" (2011, p. 38-39). De diversas maneiras a relação com aqueles que morrem não se encerra com a morte, mas é cultivada por meio de visitas ao cemitério, fotos em álbuns de fotografias, lembranças do enterro, divisão de heranças. Ou mesmo pelo contato, por meio de sonhos e visões.

Aspectos da continuidade da relação entre vivos e mortos surgiram em uma conversa que tive com Sebastiana e Maria Bastos (filhas de santo da casa de Bita, anteriormente mencionadas). Sebastiana contou que, desde a morte de Eurides, ocorrida sete meses antes, ela aparecia em seus sonhos, quando conversavam (*"ficamos assim, conversando cara a cara"*). Nas aparições, ela lembrava Sebastiana que, ainda em vida, havia lhe deixado um dos santos de seu altar e que ela não tinha o buscado. Maria Bastos recordou que uma parte dos pertences da falecida foram destinados à Dona Santinha, outra filha de santo do Mestre. Na nossa conversa, Maria disse que o Caboclo da Mata Verde – encantado que era recebido por Eurides – ainda não tinha *"passado"* em ninguém, mas ela sabia que ele seria de Sebastiana. Esta imediatamente retrucou dando a entender que não gostaria de recebê-lo. Eu, que acompanhava a "brincadeira séria" entre as duas, perguntei se era possível que o encantado de uma delas passasse, depois da morte, na outra. Elas então me explicaram que uma entidade poderia simplesmente não aparecer em ninguém próximo, mas era muito provável que fosse recebida por alguém das relações de quem faleceu. Por isso Maria Bastos tinha a certeza de que seu Mata Verde queria mesmo era passar em Sebastiana.

Como afirmei, se no rito de morte há o processamento de uma ruptura em relação à Eurides – propiciada pelo desligamento de seu corpo físico e da conexão com seus encantados –, por outro lado, existem continuidades de sua presença, por exemplo, nos elementos que compõe sua herança. As estátuas de santos que integravam o altar de sua casa foram deixadas aos cuidados de Santinha e Sebastiana. Existiam ainda seus encantados que se tornariam parte das responsabilidades de outros brincantes. Embora Sebastiana negasse o desejo de receber o Caboclo, certamente seria uma lisonja (assim como para o caso dos santos) receber a entidade de sua amiga, na medida em que isso atestaria a proximidade entre as duas.

Voltando às tendas

Contar sobre Eurides e perceber a proximidade entre Sebastiana e ela – ou sua "*irmandade*", como também se dizia em Codó – traz a tenda como vetor de conexão entre as pessoas, como produtora de companhia e convivência. Outras situações que aconteceram durante meu campo indicam que os salões são mais do que espaços físicos onde tem lugar os rituais. Eles são também agentes na constituição das relações sociais, pois participam e oportunizam encontros – e nos casos aqui narrados, sobre as feiuras que compõem a vida, eles sentem a dor e o sofrimento com as pessoas.

Em setembro de 2012, logo depois do dia de São Raimundo, o irmão de sangue de Pai Aluízio, e padrinho de sua tenda, faleceu. O episódio aconteceu na sequência do encerramento do festejo do mestre em homenagem ao santo vaqueiro. Como estava prestigiando o irmão, seu João, que vivia em São Luís, faleceu em Codó. Eu estava de passagem pela cidade e Pai Aluízio pediu minha ajuda com as fotos, dizendo-me que as pessoas gostariam de guardar uma última recordação de seu irmão. Permaneci fazendo os registros até o momento de vinda de outros mestres, quando teve início um ritual. Seu Zé Preto, Pedro e Café chegaram, já em horário próximo ao deslocamento do corpo para a capital, e com eles cantamos alguns hinos católicos e rezamos, dando vivas a São Raimundo, que há poucos dias tinha sido festejado naquele mesmo espaço. Uma roda formada pelos filhos de santo da casa, vestidos de branco com as cabeças protegidas (embora outras pessoas sem esses mesmos cuidados também participassem) começou a girar ao redor do caixão. Alguns pontos foram cantados e acompanhados pelo tambor tocado por seu Jacaré. Semelhante ao tambor de choro de Eurides, todos os pontos falavam sobre o sofrimento da despedida e a ausência sentida na casa:

Abre a porta da capela
Bota o povo lá pra dentro
A tenda São Raimundo
Ela está de sentimento.

Passando as mãos umas nas outras de forma constante, as pessoas que participavam do ritual ainda cantaram para seu João Soeira[78] e para Xangô, que devem ter tido presença importante no percurso religioso de seu João. Outros pontos foram cantados e tocados, e alguns encantados se fizeram presentes para se despedir. Cerca de 20 pessoas receberam entidades dentro e fora do salão e foram trazidas para próximo ao caixão. Podíamos ouvir o choro e a lamentação dos encantados. Também eles sofriam com a morte e compartilhavam dela.

Mamãe chorou, mamãe chorou,
Quando eu mudei pra viagem,
Mamãe chorou.

Os encantados deixaram o corpo dos médiuns somente quando foi cantado o último ponto do ritual. A entidade que estava em seu Aluízio pediu ao Divino Espírito Santo que tomasse conta da alma de seu João e levasse seu espírito. Nesse momento, a tenda cantou:

Ô João, já vai,
São Raimundo vai te levar.

---

78. Segundo Mundicarmo Ferretti (2000a), seu João Soeira, em São Luís, na tenda de Pai Jorge Itaci, era visto como Rei de Mina, enquanto em Codó era um vodunsi velho. Para ele se canta: "Seu João Soeira, cavaleiro do mar/ Sela seu cavalo Soeira, vamos trabalhar". E para Xangô: "Oiôiô, Pedreira/ Xangô da Pedreira".

Adeus meu amigo,
São Raimundo vai te levar.

Tempos depois de ter participado do velório de seu João, quando retomei e ouvi os áudios gravados na mesma câmera que servia para fazer as fotos do velório, percebi haver em suas letras referências constantes a São Raimundo e à Tenda. O Santo, nos pontos, nas orações e ofertórios feitos naquela manhã, apareceu nomeando a tenda, ganhando "*vivas*" (sendo saudado), ocupando-se da função de levar seu João e efetivar sua passagem de vivo para morto. As referências a São Raimundo são também referências à própria tenda (enquanto espaço físico e como alusão às pessoas que a compõem), pois o santo a nomeia. A letra do ponto, no trecho em que se canta "*A tenda São Raimundo está de sentimento*" fala do barracão que sente a despedida de seu padrinho. De semelhante forma, no tambor de choro de Eurides, cantou-se "*na guma falta um, o meu coração dói*", em menção à ausência de uma brincante em torno do poste central que existia nos salões de terecô.

Os mortos não voltarão como espíritos a serem incorporados (pelo menos nunca ouvi nada a respeito, muito embora exista a possibilidade de haver transformações no terecô), mas, como a escrita sobre a herança de Eurides permite entrever, podem ser vistos e sentidos. Alguns recebem homenagens no espaço das tendas, como fotografias e quadros; ou são ainda recordados por rituais realizados em conjunto com as visitas. Acompanhei, em 2011, as pessoas da tenda de seu Zé Preto em uma visita de seis meses à sepultura de um filho de santo. O morto, de nome Seu Antônio, há 40 anos ajudava o mestre nas atividades de sua casa, era o seu melhor amigo e com ele colocava linhas de roça no interior do município.

Seu Antônio adoeceu e morreu muito rapidamente, deixando seu Zé Preto bastante desamparado. Além de sentir a falta de sua companhia, o pai de santo acreditava que precisava fazer uma homenagem ao amigo. Decidiu, então, organizar a visita de seis meses de Antônio seguida por uma noite de tambor. Naquele dia, nos encontramos na casa (e tenda) de Seu Zé Preto no final da tarde. No caminho até o cemitério, ele benzia os conhecidos e convidava outras pessoas para a homenagem. Elas foram integrando nossa pequena comitiva que, ao chegar ao cemitério, devia somar cerca de 40 pessoas. Reunimo-nos em torno da sepultura de Seu Antônio e acendemos velas brancas em todo seu contorno. Seu Zé Preto não era muito bom de reza, por isso o Terço, o Kyrie, a Ladainha de Nossa Senhora (em latim) e alguns benditos foram rezados por um pai de santo amigo dele, chefe de uma tenda localizada próxima à sua. A reza durou pouco tempo e foi intercalada, como de costume, por brincadeiras e conversas informais.

Encerrando a parte da visita feita no cemitério, pedimos pela alma de Seu Antônio e por todas as outras daquele campo santo. As pessoas acenderam velas para seus familiares e retornamos para a tenda de seu Zé Preto. Quando chegamos, a filha do pai de santo e algumas outras mulheres tinham preparado a janta, que foi servida em um pequeno pátio entre a casa e a entrada da tenda. Depois da janta, as pessoas permaneceram na casa, descansando até às dez horas da noite, quando se tocaria um terecô em homenagem ao amigo falecido.

Alguns anos depois dessa visita, Seu Zé Preto ficou muito doente. Quando os médicos disseram não haver mais o que fazer do ponto de vista dos cuidados hospitalares, uma rede foi estendida na área entre sua casa e a tenda, onde ele passou seus últimos dias. Em torno dele, contaram-me, diversos filhos de santo permaneceram dia e noite, durante sua convalescença. Eu já não morava em Codó e estive na cidade apenas depois do falecimento, quando conversei com sua filha sobre sua doença e morte. Perguntei ainda sobre a continuidade da tenda, mas ela ainda não sabia me dizer o que aconteceria com o salão. Se considerarmos que não apenas os corpos são ocupados pelos encantados, mas também as tendas os recebem, mudanças como o falecimento de um mestre podem trazer alterações substantivas à sua existência. Nesse sentido, também a discussão do início deste capítulo, sobre a diminuição dos trabalhos, é sobre os barracões.

Parece-me que entre as diversas histórias que ouvi em campo, existem três situações relacionadas à sucessão na chefia das tendas e, logo, à sua manutenção: a primeira remete à continuidade dada pela preparação de algum familiar ou filho de santo da casa, quando, depois do período de um ano de luto, suas atividades são retomadas; a segunda é a situação de disputa pela chefia, quando não há acordo sobre o próximo pai ou mãe de santo; e, por fim, existem as tendas que, diante da morte do mestre, deixam de existir enquanto tal, pois deixam de ter atividades e de serem frequentadas.

No primeiro caso, antes da morte de um mestre, algum filho de santo da casa (ou mesmo um tamborzeiro) é preparado para assumir a responsabilidade das atividades da tenda, ou seja, para ser pai ou mãe de santo. A escolha do sucessor não é feita apenas pelas pessoas, uma vez que a definição do novo mestre é normalmente dada pelas entidades. Em algumas casas, a definição se torna manifesta e perceptível anos antes do falecimento do pai ou mãe de santo. Era o que acontecia, por exemplo, na Tenda Rainha Iemanjá de Bita do Barão. Janaína, filha do pai de santo, desde criança participava da tenda sendo preparada para dar continuidade ao trabalho do pai. Quando, em 2020, a Casa reabriu depois de um ano de luto pelo falecimento do mestre, foi ela quem retomou as atividades, então como mãe de santo.

Pensando ainda nas expectativas em relação à sucessão das tendas, o caso de Pedro me parece especial. O pai de santo tinha 34 anos quando nos conhecemos e, naquele momento, ainda não tinha recebido dos seus encantados a tarefa de colocar um barracão. Apesar de sua juventude, em muitas conversas, ele, sua irmã e sua mãe especulavam sobre qual dos seus sobrinhos daria continuidade ao seu trabalho. Entre as crianças, uma das meninas tinha o comportamento que mais lhes chamava atenção. Ela sempre dizia que tinha medo dos encantados, mas continuamente observava com curiosidade a preparação dos rituais da casa e isso levava Pedro a percebê-la como sua herdeira.

Quando não se encontra um sucessor na tenda ou quando ele ainda não é conhecido em virtude de uma morte inesperada, é possível que se prepare um zelador. Os zeladores têm um status menor que os mestres, pois eles acompanham a tenda provisoriamente, enquanto algum filho de santo da casa é escolhido e preparado para ser pai ou mãe. Era o que acontecia com Irene, zeladora na Tenda Santo Antônio, em Santo Antônio dos Pretos. Também o primeiro salão da cidade, de Eusébio Jansen, foi cuidado por um zelador depois do falecimento do pai de santo. Nesse caso, como também o zelador morreu, a tenda deixou de existir. Sua construção se deteriorou com o tempo e posteriormente o terreno foi vendido para o estabelecimento de um supermercado.

Em casos em que o pai ou mãe de santo morre antes de preparar ou delegar a chefia de seu barracão, não raro acontecem disputas em torno da sucessão. A Tenda Santo Antônio foi construída por Maria Piauí e é uma das mais antigas da cidade. Quando a mãe de santo faleceu, seus filhos de criação entraram em conflito pela divisão do terreno onde o salão está localizado – que era muito maior no passado do que atualmente. Além disso, eles disputaram a posição de chefia da casa. Iracema, finda a disputa, passou a ser a mãe de santo do local. Durante minha pesquisa de campo, sua tenda – que foi uma das maiores de Codó – estava com poucos filhos de santo e Iracema não pretendia aceitar novos porque se sentia muito cansada.

Uma terceira situação acontece quando o mestre não prepara nenhum de seus filhos de santo para assumir sua posição. Nesses casos, as tendas "morrem" junto aos seus chefes e sua estrutura física acaba sendo usada como moradia por outras pessoas ou é simplesmente abandonada. Luiza, no seu processo de envelhecimento, não tem preparado ninguém para assumir suas responsabilidades como mãe de santo. Ela e seus encantados mencionam constantemente que as filhas de santo aprenderam e se dedicaram muito pouco para manterem as atividades da casa, algo que os deixava bastante tristes. Se essa compreensão se confirmasse, ela teria, segundo suas próprias palavras, que "*desfazer*" ou "*desmanchar*" sua casa, o que indicava a necessidade da realização de certos trabalhos e procedimentos espirituais que envolviam a retirada dos assentamentos e o afastamento dos encantados do local. Dessa forma, era possível romper as relações sociais das pessoas e dos encantados com o espaço.

CONSIDERAÇÕES FINAIS

BRINCADEIRAS DE TAMBOR

Certa vez eu descia a rua que dá acesso à casa de Luiza, quando passou por mim uma de suas irmãs, Chagas, carregando na bicicleta a roupa lavada de um cliente. Ela estava com pressa e queria fazer logo a entrega, por isso trocamos algumas palavras breves no meio da rua e seguimos nossos caminhos. No seu retorno, eu já estava em frente à casa da mãe de santo e ela veio me contar que uma das vizinhas nos viu conversando, e perguntou quem eu era. Querendo fazer pirraça com o que considerou uma curiosidade excessiva, ela respondeu que eu não era do Brasil e que não adiantaria tentarem falar comigo, porque eu me expressava em alguma *"língua enrolada"* que não era o português.

Nos quase 10 anos que nos separam desse dia, ouvi Chagas contar diversas vezes esse episódio, sempre com uma boa dose de humor, acrescentando novas informações que falavam da minha procedência: ora eu era dos Estados Unidos, ora da Argentina, ora de Pernambuco mesmo. Luiza costumava dizer que eu, na verdade, era sua *"filha perdida no mundo"*. E explicava que eu era tão jovem em relação a ela porque lá de onde eu vinha, o tempo contava diferente. Durante o período em que morei em Codó fazendo a pesquisa de campo sobre o terecô, fui personagem de diversas brincadeiras semelhantes a essa – ao tempo que eu participava das narrativas de humor, também era incluída nas conversas e nas lembranças das pessoas.

De fato, o povo de Luiza e os outros brincantes que conheci conseguiam compor narrativas e experiências a partir do encontro com gente nova e novos seres. A mãe de santo e sua irmã, Chagas, nesse sentido, não tinham apenas construído episódios que me relacionavam à sua família – e, dessa forma, diminuído o meu andar só (o que penso, também era seu objetivo) –; elas tinham feito comigo algo costumeiro em suas vidas ao tornarem possível a minha existência em um mundo onde antes eu não vivia. Esse mundo incompleto (NYAMNJOH, 2015), no sentido de que sempre possível de ser expandido e nunca pronto, falava de uma postura afeita à novidade e à diversidade das possibilidades de composição.

Essa forma de perceber a existência das coisas é também religiosa, pois algo semelhante acontecia com a postura diante das entidades. Cabocla Jussara certa vez me disse que encantados novos continuavam surgindo. Disso decorriam duas coisas, a primeira é a de que era impossível conhecer todos. A segunda é que é sempre provável encontrar um guia desconhecido. Nessa chave, se existia o terecô, existiam também outras religiões e encantorias que tinham entidades diversas. Mencionei, ainda na introdução do livro, que Seu Raimundinho conhecia os orixás, mas não trabalhava com eles, porque, em sua trajetória, eles não tinham se apresentado da mesma forma que os seus encantados, com os quais mantinha relações frequentes. Apesar disso, o pai de santo não negava sua existência ou buscava anulá-la como se houvesse apenas um conjunto delimitado e unívoco de seres.

Tal forma de perceber a existência das entidades era reforçada também pelo fato de que os próprios encantados não eram pensados de forma unitária ou substancializada. Era deles a "*capacidade de se apresentar de diversas formas*", ora associados a determinadas linhas, funções e correntes, ora a outras. Parecendo jovens e "*farristas*" quando recebidos por algumas pessoas ou ainda sérios e discretos em outros filhos de santo. Como sempre lembrava Luiza, ao tempo que era possível se familiarizar com determinadas entidades – e inclusive convidá-las para relações de compadrio ou homenageá-las nos palcos das serestas –, era importante lembrar que "*para eles* [os encantados] *não é como é pra gente, pecador"*. A fórmula parecia ser, para ela, a de não os pensar nem como outros (como opostos ou tão diferentes, pois era possível conviver com eles) nem como simples reflexo ou extensão das pessoas.

Essa postura em relação à composição do mundo, capaz de reconhecer e se familiarizar com novos seres, entretanto, não acontece sem observação, pesquisa e certos cuidados. A vinda de entidades distintas, que estão relacionadas a linhas e religiões diferentes, em um ritual, por exemplo, é marcada por procedimentos como uma atenção especial aos pontos cantados, por homenagens, pelo cuidado com as relações de parentesco (os afetos e os desafetos), pelo manejo do espaço e do tempo no qual cada atividade acontece. A diversidade, portanto, não surge de maneira totalmente espontânea ou aleatória – ainda que algumas manifestações em determinadas situações não possam ser previstas ou controladas –, mas é pensada e elaborada, cuidadosamente gerida nesse contexto.

Pensando nesse cuidado, recordo-me de que, certa vez, Luiza conversava com Conceição, aluna do Programa de Pós-Graduação em Ciências Sociais e então minha orientanda, sobre a mudança de postura de Seu Bambu Verde, seu encantado chefe de croa. Nas atividades menores na tenda, como giras e toques de tambor apenas entre a família e os vizinhos, o encantado *"vinha"* de forma descontraída; em contraposição, no festejo de Tenda, Bambu Verde tinha um ar de seriedade e costumava ficar observando as pessoas, parado, ao lado do altar. A mestre então nos disse que a circunspecção do encantado estava relacionada às diversas responsabilidades que surgiam com a festa, que era um momento de receber visitantes, pessoas e entidades. Ele ajudava a cuidar do andamento desse encontro.

Ao notar a observação e os cuidados que envolvem receber pessoas e encantados em uma tenda, chego a outro aspecto relacionado ao contar de Chagas sobre minha estrangeirice (em parte) inventada. Muitas vezes, quando lemos etnografias ou textos relacionados ao trabalho de campo, percebemos indicações sobre como devemos nos comportar na companhia das pessoas ou sobre como registrar informações. Parte importante disso é nos lembrar de que cada contexto guarda particularidades em relação às formas de transitar, conversar e se apresentar. Ademais, tem chamado minha atenção que algumas formas de narrar a feitura do trabalho etnográfico começam por destacar os méritos do pesquisador que teve jogo de cintura ou simplesmente gentileza suficiente para ser "aceito" em campo.

Deixando de lado a discussão que o próprio termo "aceito" enseja (e as relações desiguais de poder e status que, dependendo do contexto, ele exacerba), quando me lembro do início da pesquisa em Codó, penso que nada que eu tenha feito foi responsável por seu desenvolvimento quando comparado à capacidade de recepção dos brincantes. Não escrevo essas considerações por automodéstia – como um desvio para enumerar, por outro caminho, o que seriam as minhas pretensas qualidades como pesquisadora. Escrevo, antes, para destacar um elemento já mencionado diversas vezes durante os capítulos e que ocupa um lugar central, do meu ponto de vista, em Codó: a importância do *"receber bem"*.

As pessoas recebem encantados em seus corpos, as tendas recebem visitantes em seu salão. Se receber encantados é um *"dom de nascença"*, isso não exclui a necessidade de aprender a fazê-lo controlando a firmeza do corpo, conversando com as entidades, reconhecendo seus sinais e formas de manifestação. Ainda assim, como se pode *"dar passagem"* a entidades desconhecidas em determinados momentos, tudo o que já se sabe pode ser insuficiente diante do caráter inédito de cada interação. Logo, *"receber um guia"* é sempre algo que dispende atenção e cuidado, algo que desafia os conhecimentos adquiridos, algo relacionado ao zelo evidenciado nas obrigações e compromissos.

Igualmente, as tendas *"recebem"* outros salões visitantes, ato que exige preparação, disposição, recursos e investimentos. Cada tenda recebida *"faz terecô de um jeito"* ou *"tem sua moda"*, possui peculiaridades e características. A despeito de integraram um mesmo ritual, as pessoas podem conhecer os pontos de maneira distinta, tocar tambor com pequenas variações, mover-se de formar diferentes no salão. Se os festejos têm um caráter lúdico para aqueles que assistem sem brincar terecô, para os médiuns, é um espaço de encontro que exige modulação de forças e formas. É nesse sentido que receber visitantes é algo trabalhoso, pesado, delicado. Os terecozeiros me parecem especialistas em receber, dentro e fora dos rituais, dentro e fora dos salões.

Diante disso, penso que, a despeito dos meus esforços, fui *"recebida"* em campo pelas pessoas. Como contrapartida, ocupei-me de mimetizar o movimento das visitas. Comentei na introdução que me sugeriram conhecer a casa de diversos pais e mães de santo. Diziam que cada tenda era diferente das outras e que cada mestre fazia as coisas de forma distinta, porque cada um *"faz como aprendeu"*. Luiza justificava dizendo que mesmo ave-marias e outras orações comuns podiam ser feitas de maneira singular, de acordo com suas formas de aprendizado. A possibilidade de uma "lógica polívoca e plural" (GOLDMAN, 2012, p. 273) ou um pragmatismo em lugar de princípios abstratos globalmente aplicáveis parece uma forma interessante de pensar o respeito às variações nas formas de fazer terecô, possíveis de conhecer quando nos movimentamos entre as tendas.

Essas variações não atestam um desconhecimento sobre os fundamentos ou procedimentos religiosos, mas um caráter localizado, particular e comparável daquilo que se sabe. Isso também não significa que os pais e mães de santo sugeriam essa andança porque concordavam com tudo que era feito pelos outros (já que embora houvesse alianças, existiam também disputas e rupturas entre eles). A convivialidade não implicava a impossibilidade das diferenças e talvez por isso se valorizasse de forma tão central certa etiqueta (ou mesmo ética) nos encontros entre as tendas. Ela corresponde a formas de manejar as palavras e os comportamentos, que ficava evidente na troca de elogios às casas, à decoração, à comida e às festas.

As conversas de pais e mães de santo, no âmbito ritual e fora dele, mencionavam a importância de prestigiar os outros salões a partir de visitas, como uma forma de valorizar os mestres e a própria religião. Penso que visitar as pessoas e as casas é parte do que tenho chamado de fazer companhia – um conjunto de atos cotidianos que se baseia na possibilidade de produzir coisas e pessoas a partir do compartilhamento de experiências.

Existe, por exemplo, uma partilha da dor e da memória nas situações de doença e morte, que além do convívio entre as pessoas, materializa-se nas fotos entregues como lembranças, no compromisso das futuras idas ao cemitério, no dormir junto ao enfermo em seu período de convalescença. Há ainda um compartilhar que passa pela comensalidade e a partir dela é capaz de construir relações. Cozinhar coletivamente, oferecer comida e comer são atos constantes nas giras e toques de tambor, nos festejos e também nos enterros e nas visitas aos mortos. Seu Sebastião, como indiquei, considerava que a esposa teve uma *"boa visita"* e, para qualificar positivamente o momento, mencionou a abundância da comida e o tambor, tocado durante toda a madrugada.

Ainda outros dois elementos falam sobre a companhia e sobre as relações sociais. O primeiro deles é o corpo. As pessoas e os encantados se produzem paralelamente, na medida em que, entre outras coisas, compartilham de um corpo. É a partir desse encontro, marcado pelo aprendizado que se desdobra no tempo, pelos conhecimentos e dons que se utiliza e se cultiva, que podemos falar em uma pessoa participativa. Dessa companhia íntima, resultam também o consumo dos corpos daqueles que mediam energias e diferentes espíritos, as marcas e cicatrizes que resultam dessas atividades, as debilidades e as fraquezas.

O segundo é a casa, pois, como resultado dessas conexões, elas são compartilhadas. Sua proximidade com as tendas faz com que sejam ocupadas por visitantes, por brincantes de outros salões, por clientes e também pelos encantados. Todos participam de uma experiência que estende o sentido daquilo que entendemos como doméstico e que aparece nas memórias dos mestres quando contam sobre sua saúde, sobre partos, nascimentos, casamentos e mortes. Esse narrar indica os limites da compreensão da religião como uma esfera ou domínio da vida distinto da família e do parentesco, da economia ou da política. Casas e corpos são compartilhados pela dança que atravessa as madrugadas na brincadeira séria que é o fazer terecô.

* * *

O caráter processual do tempo – do passar dos anos, do aprendizado e do envelhecimento dos mestres – tem aspectos mais complexos do que a forma serial como os narro, que só foram possíveis de serem percebidos com o passar dos anos e a convivência com as pessoas em Codó. Foi assim que notei que a linearidade que eu tinha definido como explicativa às trajetórias dos pais e mães de santo estava sujeita às novidades e às transformações que poderiam surgir em suas vidas. Anos depois que Luiza havia me contado, pela primeira vez, sobre os cadernos de Ernesto e sobre seu desaparecimento (quando ele deixou de ser recebido pela mãe de santo), eu o conheci, *"em cima dela"*, em uma gira de tambor realizada em sua casa. Ao ouvi-lo falar e ser cumprimentado pela audiência familiar, fiquei atônita com seu reaparecimento. Uma das irmãs da mestra me contou que ele voltou quando nasceu sua bisneta, pois ela tinha um problema que só poderia ser resolvido com sua presença. Em outro momento, a mãe de santo fez uma reza em sua casa e me surpreendi ao ver uma nova brincante depois de ter ouvido diversas vezes sua recusa em receber algum neófito entre suas filhas de santo. Ela então me explicou que era uma parente de uma das mulheres que dançava na casa e que a tenda que frequentava havia fechado.

Segundo Luiza, ela não poderia ficar sem acompanhamento e, por isso, passou a participar das atividades do salão.

A convivência que se processa no tempo apresenta espaço para novidades e reviravoltas que redimensionam escolhas e certezas. É dessa forma que, por mais que existam procedimentos a serem executados, horários definidos e aspectos rotineiros, o cotidiano é, por excelência, o espaço das elaborações sobre a vida e sobre aquilo que deve ser prioritário à existência. Durante a escrita, procurei menos em uma definição unívoca do que é o terecô ou em esclarecer seus significados litúrgicos – o que, estou certa, pode se tornar uma pesquisa muito importante – buscando compreender como as pessoas, nas miudezas do dia a dia, levam suas vidas na companhia dos encantados. Minha aposta foi na simetria das respostas dadas pelos sujeitos para as minhas perguntas e também na simetria dos temas, assuntos e questões levantados nas conversas que compartilhamos durante o campo.

Meu desejo, portanto, foi o de que pensar na emergência prática das coisas – que surgem tanto nos cenários ordinários do dia a dia quanto no âmbito dos rituais, quando são refeitas, inventadas e reformadas. Ao analisar esses aspectos, pareceu-me importante escrever sobre essa combinação única que enseja uma apreciação imediata do caráter criativo de cada momento, em que tem destaque a relevância da companhia, do cuidado, do apreço à diversidade como forma de evitar a solidão e como maneira de compor à vida.

REFERÊNCIAS

ABREU, D. N. M. *Os dias de União:* a experiência de uma entidade mutualista de trabalhadores em Codó (1932-1945). 2010. Monografia (Conclusão de Curso em História) – Departamento de História, Universidade Federal do Maranhão, São Luís, 2010.

AHLERT, M. *Cidade relicário:* uma etnografia sobre terecô, precisão e encantaria em Codó (Maranhão). 2013. Tese (Doutorado em Antropologia Social) – Programa de Pós-Graduação em Antropologia Social. Universidade de Brasília, Brasília, 2013.

AHLERT, M. Formas de movimento, casas e corpos no Terecô em Codó (Maranhão). *In:* REUNIÃO BRASILEIRA DE ANTROPOLOGIA, 32., 2020, Rio de Janeiro. *Anais*. Rio de Janeiro: s.n., 2020.

ALBUQUERQUE, M. A. S. *O regime imagético Pankararu*: tradução intercultural na cidade de São Paulo. 2011. Tese (Doutorado em Antropologia Social) – Programa de Pós-Graduação em Antropologia Social, Universidade Federal de Santa Catarina, Florianópolis, 2011.

ALMEIDA, A. W. B. (org.). *Terras de preto no Maranhão:* quebrando o mito do isolamento. São Luís: ECN; SMDH; PVN, 2002.

ALVARENGA, O. *Tambor de Mina e Tambor de Crioulo:* registros sonoros de folclore nacional brasileiro II. São Paulo: Biblioteca Pública Municipal, 1948a.

ALVARENGA, O. *Catimbó:* registros sonoros de folclore nacional brasileiro II. São Paulo: Biblioteca Pública Municipal, 1948b.

ALVARENGA, O. *Babassuê*: registros sonoros de folclore nacional brasileiro II. São Paulo: Biblioteca Pública Municipal, 1950.

ANDRADE, M. [1933]. *Música de feitiçaria no Brasil*. São Paulo: Livraria Martins Editora, 1983.

ANTUNES, M. O. As guardiãs da floresta do babaçu e o tortuoso caminho do empoderamento. *In*: WOORTMANN, E. F.; MENASCHE, R.; HEREDIA, B. M. A. (org.). *Margarida Alves:* Coletânea sobre estudos rurais e gênero. Brasília: MDA; IICA, 2006. p. 123-149.

ARAÚJO, P. J. P. Umbandização, cadombleização: para onde vai o Terecô? *In*: SIMPÓSIO DA ABHR/UNESP, 10., 2008, Assis. *Anais*. Assis: ABHR, *2008*.

ASSUNÇÃO, M. R. A memória do tempo de cativeiro no Maranhão. Tempo, v. 15, n. 29, p. 67-110, 2010.

ASSUNÇÃO, M. R. *De caboclos a bem-te-vis*. Formação do campesinato numa sociedade escravista: Maranhão 1800-1850. São Paulo: Annablume, 2015.

BANAGGIA, G. Religiões de matriz africana em perspectiva transformacional. *R@U*, v. 2, n. 6, p. 57-70, 2014.

BAPTISTA, J. R. C. Os deuses vendem quando dão: os sentidos do dinheiro nas relações de troca no Candomblé. *Mana*, Rio de Janeiro, v. 13, n. 1, p. 7-40, 2007.

BARBOSA NETO, E. R. *A máquina do mundo:* variações sobre o politeísmo em coletivos afro-brasileiros. 2012. Tese (Doutorado em Antropologia Social) – Programa de Pós-Graduação em Antropologia Social, Museu Nacional, Universidade Federal do Rio de Janeiro, Rio de Janeiro, 2012.

BARBOSA NETO, E. R. A geometria do axé: o sincretismo como topologia. *R@U*, v. 2, n. 9, p. 171-183, 2017.

BARRETTO, M. A. P. *Os voduns do Maranhão*. São Luís: FUNC, 1977.

BARROS, A. E. A. *O Pantheon Encantado:* culturas e heranças étnicas na formação de identidade maranhense (1937-65). 2007. Dissertação (Mestrado em Estudos Étnicos e Africanos) – Programa Multidisciplinar de Pós-Graduação em Estudos Étnicos e Africanos, Universidade Federal da Bahia, Salvador, 2007.

BARROS, S. C. *Encantaria de Bárbara Soeira:* a construção do imaginário do medo em Codó – MA. 2000. Dissertação (Mestrado em Sociologia) – Programa de Pós-Graduação em Sociologia, Universidade de Brasília, Brasília, 2000.

BASTIDE, R. *As religiões africanas no Brasil:* contribuição a uma sociologia das interpretações de civilizações. São Paulo: Pioneira Editora, 1971.

BIRMAN, P. Introdução. *In*: BIRMAN, P. (org.). *Religião e Espaço Público*. São Paulo: Attar Editorial, 2003. p. 11-21.

BLANES, R.; ESPÍRITO SANTO, D. Introduction: On the Agency of Intangibles. *In*: BLANES, R.; ESPÍRITO SANTO, D. (org.). *The Social Life of Spirits*. Chicago: The University of Chicago Press, 2014. p. 1-32.

BORGES, A. M. *Tempo de Brasília:* etnografando lugares-evento da política. Rio de Janeiro: Relumé Dumará, 2004.

BORGES, A. M. Etnografia do Ordinário: reflexões sobre a necessidade de deslocamentos antropológicos na compreensão das formas estatais. *In*: REUNIÃO DE ANTROPOLOGIA DO MERCOSUL, 7., 2007, Porto Alegre. *Anais*. Porto Alegre: s.n., 2007.

BORGES, A. M. Sem sombra para descansar: etnografia de funerais na África do Sul contemporânea. *Anuário Antropológico,* Brasília, v. 36, n. 1, p. 215-252, 2011.

BORGES, A. M. Mulheres e suas casas: reflexões etnográficas a partir do Brasil e da África do Sul. *Pagu,* n. 40, p. 197-227, 2013.

BORGES, A. M. Terra. *In*: SANSONE, L.; FURTADO, C. A. *Dicionário Crítico das Ciências Sociais dos Países de Fala Oficial Portuguesa*. Salvador: EDUFBA, 2014. p. 431-442.

BOURDIEU, P. A casa kabyle ou o mundo às avessas. *Cadernos de Campo,* São Paulo, n. 8, p. 147-157, 1999.

BOYER-ARAÚJO, V. *Femmes et cultes de possession au Brésil*: les compagnons invisibles. Paris: L'Harmattan, 1993.

CAPONE, S. *A busca da África no Candomblé:* tradição e poder no Brasil. Rio de Janeiro: Contracapa/Pallas, 2009.

CARDOSO, V. Z. Narrar o mundo: estórias do "povo da rua" e a narração do imprevisível. *Mana,* Rio de Janeiro, v. 13, n. 2, p. 317-345, 2007.

CARDOSO, V. Z. Os afetos da descrença. *Antropologia em Primeira Mão,* Florianópolis, v. 114, p. 1-17, 2009.

CARNEIRO, É. *Religiões Negras*. Negros Bantos. Rio de Janeiro: Editora Civilização Brasileira, 1991.

CARSTEN, J.; HUGH-JONES, S. (org.). *About the house*: Lévi-Strauss and beyond. Cambridge: Cambridge University Press, 1995.

CASCUDO, L. C. [1944]. *Dicionário do Folclore Brasileiro*. 2. ed. Rio de Janeiro: INL, 1962.

CHAMBOULEYRON, R. Escravos do Atlântico equatorial: tráfico negreiro para o Estado do Maranhão e Pará (século XVII e início do século XVIII). *Revista Brasileira de História*, São Paulo, v. 26, n. 52, p. 79-114, 2006.

COMERFORD, J. Vigiar e narrar: sobre formas de observação, narração e julgamento de movimentações. *Revista de Antropologia*, São Paulo, v. 2, n.57, p. 108-142, 2014.

COSTA EDUARDO, O. *The negro in Northern Brazil:* a study of acculturation. New York: J.J. Austin Publisher, 1948.

CUNHA, A. S. A. Cantando para os mortos: cerimônias fúnebres e diversidade religiosa em Cuba. *Revista Pós Ciências Sociais*, São Luís, v. 8, n. 16, p. 37-54, jul./dez. 2011.

CRUZ, B. *Confluências e Transfluências no Terecô* – Religião de matriz africana de Codó, Maranhão. 2018. Dissertação (Mestrado em Antropologia Social) – Programa de Pós-graduação em Antropologia Social. Museu Nacional, Universidade Federal do Rio de Janeiro, Rio de Janeiro, 2018.

DA MATTA, R.; PRADO, R. P. S.; MOURÃO SÁ, L. *Pesquisa Polidisciplinar Prelazia de Pinheiro*: aspectos antropológicos. São Luís: IPEI; CENPLA, 1975.

DA MATTA, R. *A casa e a rua:* espaço, cidadania, mulher e morte no Brasil. Rio de Janeiro: Rocco, 1997.

DANIEL, E. V. *Charred lullabies:* chapters in an anthropography of violence. Princeton: Princeton University Press, 1996.

DANTAS, B. G. *Vovô Nagô e papai branco:* usos e abusos da África no Brasil. Rio de Janeiro: Graal, 1988.

DAS, V.; POOLE, D. El estado y sus márgenes: etnografías comparadas. *Revista Académica de Relaciones Internacionales*, Madri, n. 8, jun. 2008.

DOS ANJOS, J. C. G. *No território da linha cruzada:* a cosmopolítica afro-brasileira. Porto Alegre: Editora da UFRGS/Fundação Cultural Palmares, 2006.

DURHAM, E. R. *A caminho da cidade*: a vida rural e a migração para São Paulo. São Paulo: Perspectiva, 1984.

ELBEIN DOS SANTOS, J. *Os Nagô e a Morte*: Padè, Asèsè e o Culto Égun na Bahia. Petrópolis: Vozes, 1977.

ESPÍRITO SANTO, D. Parcialidade e materialidade: a distribuição do ser e do saber no espiritismo cubano. *In*: CUNHA, M. O. G. (org.). *Outras Ilhas:* Temporalidades e Transformações em Cuba. Rio de Janeiro: Aeroplano; FAPERJ, 2010. p. 493-548.

FAVRET-SAADA, J. *Deadly Words:* witchcraft in the Bocage. Cambrigde: Cambridge University Press, 1980.

FERRETTI, M. M. R. Terecô: a linha de Codó. *In*: JORNADAS SOBRE ALTERNATIVAS RELIGIOSAS NA AMÉRICA LATINA, 8., 1998, São Paulo. *Anais*. São Paulo: s.n., 1998.

FERRETTI, M. M. R. *Desceu na guma:* o caboclo do Tambor de Mina em um terreiro de São Luís – a Casa Fanti-Ashanti. 2. ed. São Luís: EDUFMA, 2000a.

FERRETTI, M. M. R. *Maranhão encantado*: Encantaria maranhense e outras histórias. São Luís: UEMA Editora, 2000b.

FERRETTI, M. M. R. *Encantaria de Barba Soeira:* Codó, capital da magia negra? São Paulo: Siciliano, 2001a.

FERRETTI, M. M. R. Tambor de Mina e diversidade afro-brasileira no Maranhão. *Boletim da Comissão Maranhense de Folclore,* São Luís, v. 20, n. 20, p. 4-6, ago. 2001b.

FERRETTI, M. M. R. Encantaria maranhense: o encontro do negro, do índio e do branco na cultura afro-brasileira. *Boletim da Comissão Maranhense do Folclore,* São Luís, v. 18, n. 18, p. 7-9, jan. 2001c.

FERRETTI, M. M. R. Formas sincréticas de religiões afro-americanas: o Terecô de Codó – MA. *Cadernos de Pesquisa,* São Luís, v. 14, n. 2, p. 95-108, jul./dez. 2003.

FERRETTI, S. F. *Querebentã de Zomadonu:* etnografia da Casa das Minas do Maranhão. 2. ed. São Luís: EDUFMA, 1996.

FERRETTI, S. F. *Tambor de Crioula:* ritual e espetáculo. 3. ed. São Luís: Comissão Maranhense de Folclore, 2002.

FLAKSMAN, C. Relações e narrativas: o enredo no candomblé da Bahia. *Religião e Sociedade*, Rio de Janeiro, v. 36, n. 1, p. 13-33, 2016a.

FLAKSMAN, C. "De sangue" e "de santo": o parentesco no candomblé. *In:* ENCONTRO ANUAL DA ANPOCS, 40., 2016, Caxambu. *Anais*. Caxambu: s.n., 2016b.

FONSECA, C. *Família, fofoca e honra:* etnografia de relações de gênero e violência em grupos populares. Porto Alegre: Editora da UFRGS, 2004.

FREIRE, F. F. S. *Estética, identidade e fluxos no terecô de Bacabal*/MA. 2015. Monografia (Graduação em Ciências Humanas) – Curso de Ciências Humanas. Universidade Federal do Maranhão. Bacabal, 2015.

FREYRE, G. *Casa Grande & Senzala*. Rio de Janeiro: Record, 2002.

GARCIA JUNIOR, A. R. *O Sul:* caminho do roçado – estratégias de reprodução camponesa e transformação social. São Paulo: Marco Zero; Brasília: Editora da UnB, 1989.

GIUMBELLI, E. A presença do religioso no espaço público: modalidades no Brasil. *Religião e Sociedade*, Rio de Janeiro, v. 28, n. 2, p. 80-101, 2008.

GOLDMAN, M. *A possessão e a construção ritual da pessoa no Candomblé*. 1984. Dissertação (Mestrado em Antropologia Social) – Programa de Pós-Graduação em Antropologia Social, Museu Nacional, Universidade Federal do Rio de Janeiro, Rio de Janeiro, 1984.

GOLDMAN, M. *Como funciona a democracia*. Uma teoria etnográfica da política. Rio de Janeiro: 7Letras, 2006.

GOLDMAN, M. O dom e a iniciação revisitados: o dado e o feito em religiões de matriz africana no Brasil. *Mana*, Rio de Janeiro, v. 18, n. 2, p. 1-20, ago. 2012.

GOLDMAN, M. Quinhentos anos de contato: por uma teoria etnográfica da contramestiçagem. *Mana*, v. 21, n. 3, p. 641-659, 2015.

GOLDMAN, M.; CRUZ DA SILVA, A. Por que se perde uma eleição. *In*: GOLDMAN, Márcio. *Alguma Antropologia*. Rio de Janeiro: Relumé Dumará, NuaP/ UFRJ, 1999. p. 145-166.

GOLDMAN, M.; SANT'ANNA, R. S. Teorias, representações e práticas. *In*: GOLDMAN, M. *Alguma Antropologia*. Rio de Janeiro: Relumé Dumará; NuaP/ UFRJ, 1999. p. 123-144.

GOMES, F. S. Roceiros, mocambeiros e as fronteiras da emancipação no Maranhão. *In*: CUNHA, O. M. G.; GOMES, F. S. (org.). *Quase-cidadão*. Histórias e antropologias da pós-emancipação no Brasil. Rio de Janeiro: Editora da FGV, 2007. p. 147-169.

GROSSI, M. P. Identidade de Gênero e Sexualidade. *Antropologia em Primeira Mão*, Florianópolis, p. 01-18, 1998.

HARAWAY, D. Saber localizados: a questão da ciência para o feminismo e o privilégio da perspectiva parcial. *Cadernos Pagu*, n. 5, p. 7-41, 1995.

HEREDIA, B. M. A. *A morada da vida*: trabalho familiar de pequenos produtores do Nordeste do Brasil. Rio de Janeiro: Paz e Terra, 1979.

INGOLD, T. Jornada ao longo de um caminho de vida – mapas, descobridor-caminho e navegação. *Religião e Sociedade*, v. 25, n. 1, p. 76-110, jul. 2005.

INGOLD, T. Sobre a distinção entre evolução e história. *Antropolítica*, Niterói, n. 20, p. 17-36, 2006.

INGOLD, T. Caminhando com dragões: em direção ao lado selvagem. *In*: STEIL, C. A.; CARVALHO, I. C. (org.). *Cultura, percepção e ambiente:* diálogos com Tim Ingold. São Paulo: Terceiro Nome, 2012. p. 15-30.

JOHNSON, P. Uma genealogia atlântica da "possessão de espíritos". *Translating the Americas*, v. 2, p. 65-100, 2014.

Jornal É agora Codó. Codó, setembro, 2010.

Jornal *É Agora Codó*. Codó, março, 2011.

LAMY, M. C. *Força e criatividade a partir da música no Terecô em Codó (Maranhão)*. 2016. Monografia (Graduação em Ciências Sociais) – Universidade Federal do Maranhão, São Luís, 2016.

LANDES, R. [1947]. *A cidade das mulheres*. Rio de Janeiro: Editora da UFRJ, 2002.

LANGDON, J. Representações de doença e itinerário terapêutico entre os Siona da Amazônia Colombiana. *In*: SANTOS, R.; COIMBRA, C. (org.). *Saúde de Povos Indígenas*. 1. ed. Rio de Janeiro: Editora FIOCRUZ, 1994. p. 115-142.

LATOUR, B. *Reagregando o social*. Salvador: EDUFMA; Bauru: EDUSC, 2012.

LEAL, J. Os encantados na Festa do Divino: estrutura e anti-estrutura. *Sociologia e Antropologia*, v. 9, n. 2, p. 431-451. 2019.

LIMA, C. M. T. *Pagamento de tambor*: conexões e visitas no terecô em Codó (Maranhão). 2019. Dissertação (Mestrado em Ciências Sociais) – Programa de Pós-Graduação em Ciências Sociais, Universidade Federal do Maranhão, São Luís, 2019.

MACHADO, J. B. *Codó, histórias do fundo do baú*. São Luís: FACT/UEMA, 1999.

MAGGIE, Y. A. V. *Guerra de Orixá*: um estudo de ritual e conflito. Rio de Janeiro: Jorge Zahar, 2001.

MARCELIN, L. H. A linguagem da casa entre os negros no Recôncavo Baiano. *Mana*, Rio de Janeiro, v. 5, n. 2, p. 31-60, 1999.

MAUSS, M. *Sociologia e Antropologia*. São Paulo: Cosac Naify, 2003.

MELLO, C. C. A. Quatro ecologias afroindígenas. *R@U*, v. 2, n. 9, p. 29-41, 2017.

MOTA, C. F. S. *Pajés, Curadores e Encantados*: Pajelança na Baixada Maranhense. São Luís: EDUFMA, 2009.

MOURA, M. M. A morte de um rei do Rosário. *In*: MARTINS, J. S. (org.). *A morte e os mortos na sociedade brasileira*. 1. ed. São Paulo: Hucitec, 1983. p. 228-246.

MOURA, F. A. *Escravos da precisão:* economia familiar e estratégias de sobrevivência de trabalhadores rurais em Codó – MA. São Luís: EDUFMA, 2009.

NDEBELE, N. The rediscovery of the ordinary: some new writings in South Africa. *Journal of Southern African Studies*, v. 12, n. 2, p. 143-157, 1986.

NYAMNJOH, F. Incompleteness: frontier Africa and the currency of conviviality. *Journal of Asian and African Studies*, Leiden, v. 50, n. 2, p. 1-18, 2015.

OPIPARI, C. *O candomblé:* imagens em movimento. São Paulo: EDUSP, 2009.

ORTIZ, R. *A morte branca do feiticeiro negro:* umbanda e sociedade brasileira. São Paulo: Editora Brasiliense, 1988.

PACHECO, G. B. F. *Brinquedo de Cura:* um estudo sobre a pajelança maranhense. 2004. Tese (Doutorado em Antropologia Social) – Programa de Pós-Graduação em Antropologia Social, Museu Nacional, Universidade Federal do Rio de Janeiro, Rio de Janeiro, 2004.

PEIRANO, M. (org.). *O dito e o feito*. Ensaios de antropologia dos rituais. Rio de Janeiro: Relume Dumará, 2001.

PEREIRA, N. A Casa das Minas: contribuição ao estudo das sobrevivências daomeianas no Brasil. *Publicações da Sociedade Brasileira de Antropologia e Etnologia,* Rio de Janeiro, n. 1, mar. 1947.

PINA CABRAL, J.; SILVA, V. A. *Gente Livre:* consideração e pessoa no Baixo Sul da Bahia. São Paulo: Terceiro Nome, 2013.

PRANDI, J. R. O Candomblé e o tempo: concepções de tempo, saber e autoridade da África para as religiões afro-brasileiras. *Revista Brasileira de Ciências Sociais,* v. 16, n. 47, p. 43-58, out. 2001.

PRANDI, J. R. O Brasil com axé: candomblé e umbanda no mercado religioso. *Estudos Avançados,* v. 52, n. 18, p. 223-238, 2004.

PRANDI, J. R.; SOUZA, P. R. Encantaria de Mina em São Paulo. *In*: PRANDI, J. R. (org.). *Encantaria brasileira*: o livro dos Mestres, Caboclos e Encantados. Rio de Janeiro: Editora Pallas, 2004. p. 216-280.

RABELO, M. Religião e cura: algumas reflexões sobre a experiência religiosa das classes populares urbanas. *Cadernos de Saúde Pública,* Rio de Janeiro, v. 9, n. 3, p. 316-325, jul./set. 1993.

RABELO, M. Entre a casa e a roça: trajetórias de socialização no candomblé de habitantes de bairros populares de Salvador. *Religião e Sociedade,* Rio de Janeiro, v. 28, n. 1, p. 176-205, 2008a.

RABELO, M. A possessão como prática: esboço de uma reflexão fenomenológica. *Mana,* Rio de Janeiro, v. 14, n. 1, p. 87-118, 2008b.

RABELO, Miriam C. M. *Enredos, feituras e modos de cuidado:* dimensões da vida e da convivência no candomblé. Salvador: EDUFBA, 2014.

RAMOS, A. *As culturas negras no novo mundo.* 3. ed. São Paulo: Brasiliana, 1979.

Revista Época. Política com Terecô. 196. ed., 18 de fev. 2002.

Revista National Geographic. Codó, esquina do além. 124. ed., jul. 2010.

RICH, A. Notes toward a politics of location. *In*: LEWIS, R.; MILLS, S. *Feminist Postcolonial Theory:* a reader. Edinburgh: Edinburgh University Press, 2003. p. 29-42.

RIFIOTIS, T. O ciclo vital completado: a dinâmica dos sistemas etários em sociedades negro-africanas. *In*: BARROS, M. M. L. (org.). *Velhice ou terceira idade?* Estudos antropológicos sobre identidade, memória e política. 4. ed. Rio de Janeiro: Editora da FGV, 2006. p. 85-110.

RODRIGUES, N. *Os Africanos no Brasil*. São Paulo; Brasília: Nacional; EdUnB, 1988.

RODRIGUES, N. *O animismo fetichista dos negros baianos*. Rio de Janeiro: Fundação Biblioteca da Nacional, Editora UFRJ, 2006.

SANSI, R. "Fazer o santo": dom, iniciação e historicidade nas religiões afro-brasileiras. *Análise Social*, v. XLIV, p. 139-160, 2009.

SITAS, A. *Voices that reason:* theoretical parables. Pretoria: University of South Africa Press, 2002.

SOARES, L. E. *Campesinato:* ideologia e política. Rio de Janeiro: Zahar, 1981.

SOGBOSSI, H. B. *Contribuição ao estudo da cosmologia e do ritual entre os jêje no Brasil:* Bahia e Maranhão. 2004. Tese (Doutorado em Antropologia Social) – Programa de Pós-Graduação em Antropologia Social, Museu Nacional, Universidade Federal do Rio de Janeiro, Rio de Janeiro, 2004.

SOGBOSSI, H. B. Morte e parentesco em perspectiva comparada na Bahia: o Bogum e o Axé Opô Afonjá. *In*: ENCONTRO ANUAL DA ANPOCS, 35., 2011, Caxambu. *Anais*. Caxambu: s.n., 2011.

STRATHERN, M. *O gênero da dádiva:* problemas com as mulheres e problemas com a sociedade na Melanésia. Campinas: Editora da UNICAMP, 2006.

SUPER POP. São Paulo: Rede TV. 24 de fevereiro de 2011. Programa televisivo.

TAMBIAH, S. *Culture, Thought and Social Action*. Cambridge, Massachusetts: Harvard University Press, 1985.

TAUSSIG, M. *Xamanismo, colonialismo e o homem selvagem:* um estudo sobre o terror e a cura. São Paulo: Paz e Terra, 1993.

TROUILLOT, M. R. Moderno de otro Modo. Lecciones Caribeñas desde el Lugar del Salvaje. *Tabula Rasa*, n. 14, p. 79-97, 2011.

VELHO, O. G. Frentes de expansão *e estrutura agrária*. Rio de Janeiro: Zahar, 1972.

VELHO, O. G. *Capitalismo autoritário e Campesinato:* um estudo comparativo a partir da fronteira do movimento. 2. ed. São Paulo: Difel, 1979.

VELHO, O. G. *Besta-Fera:* recriação do mundo – ensaios críticos de antropologia. Rio de Janeiro: Relumé Dumará, 1995.

VIEIRA, S. A. *Resistência e Pirraça na Malhada*: Cosmopolíticas Quilombolas no Alto Sertão de Caetité. 2015. Tese (Doutorado em Antropologia Social) – Museu Nacional. Universidade Federal do Rio de Janeiro, Rio de Janeiro, 2015.

WOORTMANN, E. F. *Herdeiros, parentes e compadres*: Colonos do Sul e Sitiantes do Nordeste. 1. ed. São Paulo; Brasília: HUCITEC; EdUnb, 1995.

WOORTMANN, K. Migração, família e campesinato. *In*: WELCH, C. *et al.* (org.). *Camponeses Brasileiros*: leituras e interpretações clássicas. São Paulo; Brasília: MDA, UNESP; NEAD, 2009. p. 217-241.

APÊNDICE

ÍNDICE DE PESSOAS CITADAS

Aluízio Mota *(p. 9, 51, 56, 103):* pai de santo da Tenda Espírita de Umbanda São Raimundo Nonato e Santa Filomena, localizada no bairro São Sebastião. Foi preparado por mãe Antoninha aos 14 anos. Além de chefiar sua tenda, trabalhava como vigia em uma escola pública da cidade. Realizava um festejo para São Raimundo, com nove noites de festa. Entre outras entidades recebe dona Rosinha (chefe de croa), Caboclo Pena Roxa, seu Mensageiro de Lei e Maria Lina. Faleceu em 2016.

Ana Moreira *(p. 78):* mãe de santo da Tenda Santo Antônio, localizada em Santo Antônio dos Pretos, povoado do interior do município. Entre seus encantados carregava seu Zé da Porteira. Faleceu em 2005.

Antoninha *(p. 39, 56, 67, 97, 130, 131, 132):* mãe de santo da Tenda Espírita de Umbanda Santa Bárbara. É uma das mães de santo mais conhecidas da cidade e referenciada como "grande terecozeira". Nasceu 1915 e foi preparada em Santo Antônio dos Pretos, por sua tia Melânia (mãe de santo que antecedeu dona Ana Moreira na chefia da Tenda Santo Antônio). Recebia as entidades Rei de Una, Lauro Boji, Leontino Preto Velho de Angola, Rosa de Maceodá, Sete Flechas, Zé de Amar a Deus, Zé Vaqueiro. Faleceu em 1997.

Antônio *(p. 213, 214):* senhor que dançava na tenda de seu Zé Preto e com ele colocava roça no interior de Codó. Faleceu em 2011.

Beata *(p. 27, 55, 99, 100, 104, 105, 130, 132, 150, 151, 165, 166, 167, 177, 178):* mãe de santo feita na mina, na mata e no candomblé. Chefia a Tenda Casa de Candomblé Xangô e Iemanjá, localizada no bairro São Francisco. Foi preparada pela primeira vez em uma tenda de mina, em São Luís, quando recebeu uma entidade chamada Touro de Mina. No candomblé, foi feita no barco inaugural da primeira tenda de Codó, na década de 1980. Faz obrigação para Xangô e Iemanjá. Em 2011, quando nos conhecemos, tinha 72 anos.

Bigobar *(p. 7, 9, 56, 57, 67, 72, 86, 117, 149, 150):* pai de santo da Tenda Santa Barba e São José, localizada no povoado de Santo Antônio dos Pretos. Seu pai era conhecido como um grande feiticeiro e dele herdou seu encantado chefe de croa, seu Graça Lira. Em campo, soube que recebia Cabocla Jussara. Em setembro, fazia uma festa que durava três noites. Faleceu em 2017.

Bita do Barão *(p. 9, 31, 33, 39, 51, 52, 53, 57, 77, 80, 87, 88, 89, 93, 99, 132, 137, 139, 144, 146, 147, 149, 155, 173, 177, 189, 205, 207, 215):* pai de santo que, em 1954, fundou a Tenda Espírita de Umbanda Rainha Iemanjá. Entre as entidades que recebia estavam Barão de Guaré, Caboclo Ararum, dona Rosa e Princesa Isaurina. Em sua tenda existiam duas grandes festas, em novembro e em agosto. Dizia ter mais de 500 filhos de santo. Faleceu em 2019.

Café *(p. 10, 28, 51, 54, 57, 73, 90, 99, 100, 105, 123, 144, 150, 165, 167, 211):* pai de santo da tenda São Cipriano, localizada no bairro São Pedro. Em 2011, quando nos conhecemos, tinha 28 anos. Apesar de sua juventude, é bastante afamado na cidade. Aos 7 anos sentiu os primeiros sinais de sua mediunidade através de pesadelos. Os sinais logo foram interpretados pelo caboclo que sua mãe recebia.

Chagas *(p. 9, 199, 219, 220, 221):* irmã de Luiza, brincante de sua casa, a Tenda Espírita de Umbanda Santa Helena, e da Tenda Espírita de Umbanda Rainha Iemanjá.

Concita *(p. 9, 92, 196):* foi moradora do povoado de Santo Antônio dos Pretos e brincante na tenda homônima. Hoje falecida.

Dindinha *(p. 9, 181):* brincante na Tenda Espírita de Umbanda Rainha Iemanjá, prima da mãe de santo Maria dos Santos. Realiza uma reza em homenagem a São Bento em sua casa na zona rural.

Domingas *(p. 9, 172):* irmã e filha de santo de Luiza na Tenda Espírita de Umbanda Santa Helena.

Eduardo *(p. 27, 35, 36, 37, 38, 39, 60, 104, 157):* codoense e terecozeiro. Morou em São Paulo e na Bahia e, na década de 1980, fundou, em parceria com Júlio, a primeira tenda de candomblé de Codó. Era tio de Mãe Beata. Faleceu anos antes da pesquisa de campo.

Eliane *(p. 9, 94):* irmã do pai de santo Pedro, sua auxiliar nas consultas e atendimentos realizados na casa da família.

Eurides *(p. 13, 205, 206, 207, 208, 209, 210, 211, 212, 213):* filha de santo da Tenda Espírita Rainha Iemanjá. Faleceu durante a pesquisa de campo, nos últimos dias do mês de novembro de 2010. Frequentava a tenda desde criança.

Eusébio Jansen *(p. 216):* tido como pai de santo do primeiro salão de terecô da cidade. Segundo Iracema (mãe de santo da tenda Santo Antônio), seu Eusébio era amigo de Maria Piauí e lhe convidou para morar em Codó.

Francinete: filha de santo da Tenda Espírita de Umbanda Santa Bárbara (de Maria dos Santos). Recebe Cabocla Jussara.

Francisco Oliveira *(p. 52):* empresário presidente do Grupo FC, formado por uma grande empresa de produtos de limpeza, velas, copos plásticos e óleo babaçu; e um sistema de comunicação com um canal de televisão e uma emissora de rádio. É cearense e vive em Codó desde 1972.

Gili *(p. 54, 92, 93, 96, 124):* avô do pai de santo Pedro, brincante em diferentes tendas da cidade. Padrinho da Tenda Santo Antônio de Maria Piauí. Lembrado como um grande feiticeiro. Trabalhava com alguns encantados hoje recebidos por seu neto, como Chica Baiana. Faleceu em 1987.

Iracema *(p. 10, 27, 51, 54, 69, 102, 104, 116, 131, 195, 216):* mãe de santo da Tenda Espírita de Umbanda Santo Antônio, que pertenceu à Maria Piauí, de quem é filha de criação. A tenda está localizada no bairro São Benedito e é uma das mais antigas da cidade. Em 2011, ela tinha 72 anos.

Irene *(p. 9, 216):* hoje falecida, foi zeladora da Tenda Santo Antônio, no povoado de Santo Antônio dos Pretos, em Codó.

Jacaré *(p. 10, 167, 212):* tamborzeiro renomado. Tocava na tenda de Café e em festejos de outras casas. Detinha o conhecimento da feitura dos tambores.

Janaína *(p. 9, 215):* filha de Mestre Bita do Barão. Depois do falecimento do mestre, em 2019, assumiu a Tenda Espírita de Umbanda Rainha Iemanjá.

Jesus *(p. 9, 54, 129, 132):* mãe de santo da Casa de Cura Cabana de Preto Velho, onde possuía cinco filhas de santo. Sua chefe de croa é Oxum, mas trabalha constantemente com seu encantado João Marabaia. Sua tenda está localizada no bairro São Francisco e existia, na época da pesquisa, há quatro anos. Era filha de santo da casa de Mestre Bita há 43 anos. Vive em Codó desde 1963. Festeja em 31 de maio, Santa Maria, festejo que recebeu de sua mãe.

João Machado *(p. 10):* hoje falecido, foi escritor e historiador nascido em Codó. Entre 1950 e 1980 residiu no Rio de Janeiro, onde cursou história. Retornou para Codó em 1988. Escreveu um livro sobre a cidade e organizou diversos documentos sobre a política municipal.

João Mota: irmão do pai de santo Aluízio e padrinho de sua tenda. Faleceu em setembro de 2012.

João Tavares *(p. 7, 10, 27, 55, 57, 67, 68, 75, 90, 91, 99, 130, 132, 164, 165, 176, 182, 184, 190):* pai de santo que, em 2011, tinha 75 anos. Sua tenda se localizava no bairro São Francisco e se chamava Tenda Espírita de Umbanda e Cultos Afro-brasileiros São Benedito e São José de Ribamar. Era preparado na mata e no candomblé. Faleceu em 2016.

Júlio *(p. 27):* foi pai pequeno da primeira tenda de candomblé de Codó.

Louro *(p. 202, 203):* musicista da Banda Municipal Euterpe.

Luiza *(p. 9, 13, 15, 19, 20, 30, 51, 53, 54, 55, 56, 61, 62, 65, 87, 89, 92, 107, 108, 109, 110, 111, 113, 114, 115, 116, 117, 118, 119, 121, 122, 131, 132, 136, 137, 138, 139, 140, 141, 144, 146, 152, 155, 160, 164, 168, 169, 170, 171, 172, 177, 178, 181, 182, 183, 184, 186, 190, 192, 193, 194, 195, 196, 199, 202,*

206, 208, 217, 219, 220, 221, 223, 225, 226): mãe de santo da Tenda Espírita da Umbanda Santa Helena. Tinha oito filhas de santo e também dançava na tenda de Mestre Bita do Barão. Sua tenda e sua casa estão localizadas no bairro São Sebastião. Entre as suas entidades estão Bambu Verde (chefe de croa), João da Cruz, Duardo Légua, Sebastiãozinho, Cabocla Juliana e Ernesto.

Manuel *(p. 87, 194):* foi marido da mãe de santo Luiza. Era também seu primo. Faleceu na década de 1970.

Marcelo Senzala *(p. 10, 110):* candomblecista no Ilé Axé de Oxosse e Oxum, de mãe Nilza. Presidente da Associação de Candomblé, Umbanda e Religiões Afro-Brasileiras de Codó e Região.

Maria Bastos *(p. 9, 173, 210):* filha de santo da Tenda Espírita de Umbanda Rainha Iemanjá. Uma das filhas de santo que presta assistência ao atendimento de caridade do Caboclo Ararum.

Maria dos Santos *(p. 9, 10, 51, 55, 56, 88, 89, 92, 114, 128, 129, 131, 150, 181):* mãe de santo da Tenda Espírita de Umbanda Santa Bárbara, que recebeu de herança de Mãe Antoninha. Em 2011, tinha 72 anos e morava em uma casa ao lado da tenda. Sentiu os primeiros sinais de mediunidade aos 10 anos. Trabalha com a corrente de Légua e também com a "linha astral" (espiritismo de mesa branca).

Maria Piauí *(p. 26, 51, 54, 69, 92, 131, 216):* mãe de santo da Tenda Espírita de Umbanda Santo Antônio. Piauiense, migrou para Codó provavelmente no fim da década de 1930, a convite de Eusébio Jansen. Responsável por fundar a primeira tenda de umbanda de Codó. Entre outras entidades, trabalhava com Mestre Maximiniano e Légua Boji. Segundo soube em campo, faleceu em 1982.

Maria Pretinha *(p. 67, 90, 190):* avó do pai de santo seu João Tavares, conhecida entre os antigos terecozeiros porque conseguia fazer previsões sobre o futuro.

Nilza *(p. 10, 55, 130, 150):* mãe de santo da Tenda Ylé Axé de Oxosse e Ogum, terreiro de candomblé no bairro São Francisco.

Odílson (nome fictício) *(p. 186):* brincante do tambor. Funcionário da rede de ensino da cidade, conhecido pelas ameaças (nunca cumpridas) feitas contra seus desafetos.

Pedro *(p. 9, 11, 27, 37, 51, 53, 54, 69, 73, 77, 81, 88, 92, 93, 94, 95, 96, 100, 105, 106, 107, 109, 110, 114, 115, 122, 124, 125, 126, 127, 128, 133, 134, 156, 160, 162, 164, 179, 211, 215, 216):* pai de santo de 34 anos (em 2011). Neto de seu Gili, que foi conhecido como grande terecozeiro e feiticeiro. Pedro recebe Lobo do Mar, dona Baiana Chapéu de Couro, seu Tropeira, Teresa Légua e Lionesa Légua.

Raimundinho Pombo Roxo *(p. 9, 51, 54, 55, 56, 58, 63, 64, 65, 75, 89, 103, 150, 165, 195, 204):* pai de santo da Tenda Espírita de Umbanda São Domingos. Na época da pesquisa, 28 filhos de santo. Ele festeja São Domingos, Santa Luiza e Cosme e Damião. Veio da zona rural para a cidade, onde construiu sua tenda no bairro São Francisco.

Regina *(p. 10, 96, 97, 98, 112):* esposa do pai de santo Zé Willan. Entre seus encantados, recebe Ricardo Légua. Mora no povoado de Morada Nova, na cidade de Lima Campos.

Santinha *(p. 9, 210, 211):* filha de santo da Tenda Espírita de Umbanda Rainha Iemanjá. Recebeu parte dos santos deixados por Eurides em virtude de sua morte.

Sebastiana *(p. 9, 173, 210, 211):* filha de santo da Tenda Espírita de Umbanda Rainha Iemanjá. Uma das filhas de santo que presta assistência ao atendimento de caridade do Caboclo Ararum.

Sebastião *(p. 7, 9, 55, 77, 145, 204, 224):* hoje falecido, foi pai de santo do povoado de São Cristóvão, no interior de Codó. Padrinho da tenda de Raimundinho.

Teresinha *(p. 9, 25, 26, 55, 86, 87, 89, 100, 104, 129, 132, 178):* mãe de santo que, em 2011, tinha de 64 anos. Sua tenda se localiza nos fundos de sua casa, no bairro São Francisco. Recebeu encantado pela primeira vez aos 7 anos, em uma plantação de algodão no interior de Codó. Tem como chefe de croa Rei de Mina e recebe, entre outras entidades, Caboclo Tupinaré. Em dezembro festeja Nossa Senhora da Conceição e em setembro comemora o aniversário de Rei de Mina.

Vanda *(p. 9):* filha da falecida mãe de santo Ana Moreira, de quem herdou seu encantado de croa, Zé da Porteira. É brincante da Tenda Santo Antônio, no povoado de mesmo nome.

Wilson (nome fictício) *(p. 179, 180, 181, 183, 196):* pai de santo de uma tenda da cidade. Também era brincante na tenda de outro mestre de Codó. Teve uma séria doença que foi entendida como resultado de desconhecimento de um trabalho que assumiu.

Zé Bruno *(p. 53):* foi pai de santo de seu Zé Preto. Nasceu no interior do Piauí, provavelmente no ano de 1897 e em 1938 se mudou para um povoado no interior de Caxias (MA) que passou a ser conhecido em sua referência (Nazaré do Bruno).

Zé Buchudo *(p. 153):* citado por seu Zé Willan como cavalo de Preta Lima, uma encantada recebida em Morada Nova.

Zé Preto *(p. 7, 9, 53, 57, 61, 100, 101, 102, 110, 132, 139, 141, 142, 143, 211, 213, 214)*: pai de santo da Tenda Espírita de Umbanda São Domingos, localizada no bairro Codó Novo. Festejava Nossa Senhora da Graça, em novembro, e São Domingos, em agosto. É de Caxias, onde foi preparado na umbanda por Zé Bruno de Moraes. O certificado de sua tenda é de 21 de abril de 1979, mas antes de ter salão, trabalhava com mesinha. Não podia me contar qual era seu encantado de croa. Faleceu em 2015.

Zé Willan *(p. 10, 56, 92, 96, 97, 138, 153, 154)*: pai de santo da Tenda Santa Bárbara, no povoado de Morada Nova, na cidade de Lima Campos. Recebe, entre outros encantados, Coli Maneiro.

ENTIDADES MENCIONADAS NO LIVRO OU NA PESQUISA DE CAMPO

Abdias Légua (família de Légua)

Averequete (vodum) *(p. 37)*

Badé (vodum) *(p. 37)*

Baiana Chapéu de Couro

Bambu Verde *(p. 109, 110, 111, 112, 221)*

Barão de Guaré *(p. 33)*

Cabocla Juliana

Cabocla Jussara *(p. 117, 149, 150, 220)*

Caboclo Ararum *(p. 145, 173, 175, 176, 178, 181, 202)*

Caboclo Cearense *(p. 112)*

Caboclo da Bandeira (João da Mata)

Caboclo da Mata Verde *(p. 210)*

Caboclo Giramundo

Caboclo Pena Roxa

Caboclo Sete Flechas *(p. 33, 130)*

Caboclo Tupinaré

Caboquinho da Eira

Chica Baiana *(p. 13, 54, 69, 92, 93, 94, 95, 96, 109, 110, 113, 122, 125, 126, 128, 160, 162, 179)*

Este livro foi composto em Chaparral Pro
sobre papel Pólen Soft 80g, no verão de 2021,
em Curitiba, para Kotter Editorial.